Où vas-tu Margot ?

Sève Maël

Où vas-tu Margot ?

ÉDITIONS FRANCE LOISIRS

L'auteur a bénéficié pour l'écriture de ce roman de l'aide du CNL.

Édition du Club France Loisirs,
avec l'autorisation des Éditions Blanche.

Éditions France Loisirs,
123, boulevard de Grenelle, Paris.
www.franceloisirs.com

© Éditions Blanche, Paris, 2010
ISBN : 978-2-298-04704-2

1

Hôpital psychiatrique de D. Avril 2009.

J'ai envie d'essayer le MDMA. Mais je ne sais pas où en trouver. Parfois j'ai envie de tomber, bien bas, de me faire très mal. De me laisser manipuler, assouvir, diriger, maltraiter, peut-être même plus. J'ai envie qu'on me plaque contre un mur et qu'on fouille mon corps. Je crierai puis je me tairai car l'homme tirera mes cheveux plus violemment et me pétrifiera sur place de son regard sans pitié.

J'ai envie d'être baisée comme une salope, les vêtements déchirés, le corps malmené. Puis je voudrais un homme jaloux, un homme tellement fou de désir pour moi qu'il serait prêt à buter quiconque me déshabillerait du regard. Alors je pourrais disparaître en lui, et j'obéirais à tout. À la moindre de ses demandes, au moindre de ses désirs. Il me voudrait chienne au point de lacérer son corps à l'en faire saigner, il me voudrait sage au point de me laisser dompter et battre sans dire un mot… Il me voudrait putain qui garde les cuisses ouvertes sur la banquette du restaurant, le cuir du fauteuil contre la nudité de ses fesses, les lèvres brûlantes, le souffle court.

Envie de baiser à en crever, envie de gémir, de hurler, de déchirer le papier peint de la chambre tellement j'aurais mal de plaisir. Le goût du sang dans la bouche, de son sperme, de sa sueur, de ma chaleur, de ma folie.

Oui, je sais, je suis folle. C'est ce qu'ils disent tout le temps. Pourtant, c'est des conneries tout ça. C'est juste que les gens ont trop peur de se l'avouer, mais eux aussi rêvent de la même chose. Eux aussi rêvent de se faire pénétrer de toutes parts et de monter en puissance dans le chemin du désir. Parce qu'il n'y a que comme ça qu'on se sent vivant. Le reste, c'est du bluff. Pour ne pas voir que notre vie est minable, qu'on est malheureux en amour et qu'on va crever seul dans son coin, comme un con, parce que personne ne nous regrettera. Ah si ! les gosses, ils ont dit ça à la séance de groupe ce matin. La beauté de la paternité, le bonheur d'être mère. Mon cul ! Je n'ai jamais vu un gosse ne pas se plaindre de ses parents. Y a toujours un truc qu'on a fait de travers et, tôt ou tard, ça nous retombe dessus. De toute façon, avec le nombre de médocs que je me tape ici, je ne risque pas de tomber enceinte. Puis pour ça, faudrait que je baise. Donc on en revient au problème principal : l'absence de sexe. Le manque absolu de la quintessence de l'existence. Je vais devenir folle si je passe une semaine de plus ici sans baiser. Je deviens violente, encore plus méchante que d'habitude. Je crie sur les petits vieux, moi qui les ai toujours respectés. Je dis n'importe quoi et je pique des crises pour un rien. Et hop, je me retrouve avec une boîte de sédatifs en plus. Cette nuit, j'ai rêvé que j'étais avec Lucie, la fille de la chambre voisine, et Stéphane, l'infirmier qui m'apporte mes pilules tous les matins. Stéphane me disait que j'étais compréhensive et super comme nana car j'écoutais ses malheurs, puis il me faisait l'amour, mais sa queue était énorme et je devais aller me laver aux toilettes alors que lui, il paradait sans gêne devant moi, à poil, en me disant qu'on avait réellement fait l'amour et que ça avait été trop bien. Alors Lucie arrivait et me déclarait que c'était pas possible car elle avait mesuré mon vagin et il était trop petit pour son sexe, il ne pouvait pas rentrer dedans.

Je me demande pourquoi j'ai rêvé de ça, je ne comprends pas. Je voudrais bien en parler au psy, mais il va encore lever un sourcil interrogateur derrière ses affreuses lunettes carrées, du genre « y a pas de doute, elle est vraiment folle ». Alors je vais lui raconter que j'ai rêvé de la campagne, il aime bien ça, quand on fait allusion à la nature. Ça veut dire qu'on a des « aspirations saines ». C'est cela, oui. Je suis sûre que si on lui demandait son avis, il ne dirait pas non à une petite séance de jambes en l'air au milieu des champs de blé. Quoique le blé, c'est pas terrible, ça pique. Non, ce serait mieux des marguerites et des trèfles à quatre feuilles. Que des trèfles à quatre feuilles ! Alors je les cueillerais tous et je ferais le même vœu encore et encore : celui de redevenir une petite fille, et de tout recommencer de zéro. Parce que la réincarnation, c'est du pipeau, et que leur truc de guérison, j'y crois pas. Même s'ils effaçaient ma mémoire, je ne redeviendrais pas normale. Ça doit être écrit dans mes cellules que je suis folle, ou dans mon ADN. Je ne sais plus, j'ai oublié mes cours de bio. Puis je m'en fous. Je voudrais juste redevenir enfant. Je voudrais me rappeler ce que ça fait de s'endormir sans avoir peur.

2

Un cauchemar, c'était un cauchemar. J'étais dans notre maison de vacances, avec mes parents, des amis à eux et ma petite sœur. Ma mère avait tué le rat de ma sœur en voulant lui apprendre les bonnes manières. Elle l'avait mis sur la gazinière et l'avait brûlé vif Je hurlais et je sortais de la maison en courant, mais Régis, un vieil ami de la famille, posait son bras sur mon épaule et me disait de me calmer, que c'était des choses qui arrivaient. Puis il m'offrait un verre de champagne et me demandait comment se passaient mes études. N'importe quoi.

J'en ai marre de me réveiller au milieu de la nuit en sueur. Et encore plus marre de réaliser que je ne suis pas chez moi et que je ne peux pas faire ce que je veux. Sinon, je serais allée direct me servir un grand verre de whisky, un truc bien fort qui m'aurait arraché la gueule puis fait retomber dans les vaps. Je ne rêve pas quand j'ai trop bu, jamais. OK, le réveil n'est pas terrible, mais au moins je dors.

Dormir… j'ai oublié la sensation que c'était que de passer une nuit complète à dormir. Que de se lever encore tout ensuquée de la longue nuit passée et de constater qu'il est midi passé. Je me souviens des grasses mats que je me payais les dimanches avant. Le bonheur de la semaine, le jour tant attendu. Ici, le dimanche, ils nous lèvent à huit heures pour une heure de travaux créatifs suivis de la messe dominicale. Le truc qui me fait gerber. Enfin, c'est pas vraiment une messe avec Jésus et toutes ces conneries. Non, c'est plutôt deux heures où on est tous réunis dans la grande pièce du centre et où on écoute un intervenant extérieur nous raconter une super histoire qui est censée nous aider dans la voie de la rédemption, oh pardon ! je voulais dire de la guérison bien sûr. Dimanche dernier, on a eu droit à ce fermier qui était alcoolique et qui, en rentrant du bistro un soir, a failli écraser une fillette. Depuis cet accident, il ne boit plus et, mieux, il a retrouvé un sens à sa vie et bla-bla-bla, c'est trop touchant. Sortez les mouchoirs. Après, les psys nous ont demandé ce qu'on en a pensé et ce qu'on a ressenti en entendant cette histoire, et il faut toujours trouver un truc original sinon ils se doutent qu'on fait du plagiat. Mais j'ai grave géré dimanche dernier. J'ai dit que c'était un argument pertinent en faveur de la lutte contre la pollution car il aurait été à vélo, il aurait pu freiner à temps. Je suis sûre que les toubibs ont trouvé ça très juste. Bref, là on est mardi et faut que j'aille me laver. Après, je dois aller faire des bouquets de fleurs avec la grosse dame qui nous apprend à harmoniser les couleurs. Pourquoi ça existe pas les fleurs noires ? Ou bleu foncé ? C'est moche le jaune. Et le rose, ça me fait toujours gerber. Moi, je voudrais du noir, du marron et du bleu, du violet aussi et rien d'autre. Puis je voudrais qu'on me foute la paix. Ils me font chier avec leurs fleurs ! Et dimanche y aura pas de grasse mat. Et je vais encore faire des rêves à la con. Et je vais encore me réveiller en hurlant au milieu de la nuit. C'est comment déjà de dormir dans les bras d'un homme ?

3

Je crois que j'ai besoin d'aide. Enfin je ne sais plus. Je veux pas être parfaite mais je peux l'être. Je sais plus ce que je dois manger, ce que je dois dire, ce que je dois faire. Je contrôle tout et plus je contrôle tout, plus je contrôle rien. Puis je me regarde dans la glace et je me trouve affreuse. Je suis trop mince ou trop grosse, je suis pas sûre. Je sais plus. Je sais plus détacher mon regard du physique des autres. Je sais plus manger ce qu'on me donne parce que je trouve que ça ressemble à rien. C'est vraiment du poisson ce bout de plastique blanc certifié sans arête et qui sent même pas le poisson ? À faire semblant, autant nous filer du poisson pané. Et puis pourquoi mon yaourt à la vanille a le goût de savon et l'odeur de désodorisant pour les chiottes ? Merde ! Cuistot, c'est le bon plan de nos jours ! Tu cuisines de la merde, certifiée « saine et équilibrée » et tu te paies un salaire de ouf avec les RTT en rab. Je savais que j'aurais pas dû me taper la fac. J'aurais dû faire un truc tout con, genre coiffeuse ou secrétaire, un truc où mon seul souci aurait été d'être à jour dans mes commérages et d'avoir le temps de lire *Closer* avant

15

que le patron ne rapplique. Alors j'aurais eu la tête pleine de conneries, donc j'aurais été indisponible pour toute autre pensée. Oui, c'est ça, j'aurais eu une vie cool et heureuse parce que je me serais pas pris la tête à cogiter. Ils ont tout compris, les manuels. Quand on travaille de ses mains, après on est trop fatigué pour se prendre la tête avec des questions philosophiques. Si les intellos sont tous pâlichons avec des têtes à faire peur, c'est pas parce qu'ils passent trop de temps enfermés. A-t-on déjà vu une secrétaire avec le teint blafard ? Jamais. Pourtant, sa paperasse, elle la tape pas sous le soleil de Miami ou à Palm Beach ! Non, si les intellos sont tout blancs, c'est parce qu'ils se décomposent de l'intérieur à force de penser. Leurs circuits ont tellement chauffé qu'ils ont grillé et ont contaminé tout le système. J'ai dû être une intello dans toutes mes vies antérieures. C'est pour ça que je ne bronze pas, oui c'est sûrement ça. Faudrait que je devienne maçon, ou plombier, un truc vraiment manuel qui contrebalancerait tous ces siècles de cogitation intense que j'ai dû vivre. J'arrête de penser pendant dix ans, non, cinq car dix c'est trop long. Et alors là, enfin, je me mettrais à bronzer. Ça me fait penser que j'ai pas arrosé les fleurs. Il faut que je le fasse avant que le psy arrive sinon c'est un mauvais point pour mon dossier. « Manque d'intérêt pour son environnement », il va marquer. Je vois déjà la punition arriver. Des lignes à copier, comme en primaire. C'était marrant, ça. Enfin, est-ce que j'ai déjà eu des lignes à copier ? Ou c'étaient des exercices de maths ? Ou des lignes ? Pourquoi je sais plus ? Pourquoi j'ai oublié ? Pourquoi j'ai la mémoire qui fout le camp ? Ça y est, ça m'énerve, je panique. Faut que je me calme. Faut que je respire. Faut pas que je pense à ces exercices… non, à ces lignes. Ça y est, ça recommence. Respire. C'étaient des lignes, c'étaient des lignes ! Ou alors c'était rien ? C'est ça, j'étais une super élève, du coup j'ai jamais été punie. Donc je n'ai eu ni lignes ni exercices de maths. Le soulagement ! Je suis pas folle. Je suis juste trop intelligente. C'est ça. C'est cool. De toute façon, je le savais. Ils me l'ont dit en arrivant que j'avais rien à faire là, que c'était juste une petite déprime passagère mais que j'allais vite rentrer chez moi. J'appartiens pas à ce milieu, moi, je suis pas comme tous ces tarés qui vont crever ici comme des cons sans avoir rien compris à la vie. Moi, je suis juste un peu fatiguée. Je me repose et je rentre chez moi reprendre ma petite vie de banlieusarde. D'ailleurs je vais prendre un chien. Un vrai, pas un truc tout minuscule qui ressemble à rien. Non, un gros chien genre labrador ou berger allemand. Un chien qui ressemble à un chien. J'ai toujours voulu avoir un chien. C'est mieux qu'un mec et c'est plus doux à caresser. Bon, OK, ça parle pas et ça baise pas, mais ça, c'est pas un problème. Je m'achète un gode dernier cri et je me prends un forfait illimité soir et week-end et hop, je passe mes nuits avec mes copines au bout du fil. Mieux, je passe mes nuits avec mes copines au bout du fil avec le gode entre les cuisses. Trop bien. Puis un chien, ça coûte pas cher et au moins, c'est fidèle. C'est con, même. Plus tu le bats, plus il te montre d'affection à te lécher la main et à te suivre partout. J'ai dû être un chien dans une autre vie. Enfin, une chienne. Ah bah ! voilà, c'est ça, j'ai été une chienne dans une autre vie et dans celle-là, je me suis plantée et je me suis foutue chienne mais au sens figuré. C'est pour ça que j'ai un problème avec les mecs. Faut que j'en parle à mon psy. Je suis sûre qu'il va trouver ça logique. Ou pas ? Faut dire, avec lui, on ne sait jamais. Parfois, j'ai l'impression de dire quelque chose de très intelligent alors que lui me regarde comme si j'étais la dernière des connes. Je me suis demandé l'autre fois si j'aimerais bien coucher avec lui. C'est aussi un homme après tout. Mais j'arrive pas à voir s'il en a une grosse ou pas, avec leurs conneries de blouses. Sûrement. Il a des mains qui me disent qu'il assure, c'est obligé. Des grosses mains qui me réduiraient à sa merci en deux secondes. Qui m'obligeraient à le sucer, à m'empaler sur lui encore et encore, toujours plus profondément, toujours plus loin, toujours plus vite. Ou par-derrière, agrippée à son bureau, la tête posée contre mon dossier. Ce serait excitant. Faudrait que je le fasse d'ailleurs, comme ça, avec un peu de chance, il sera tellement concentré qu'il fera pas gaffe à ce que je fais et, discrétos, je piquerai mon dossier. Ou mieux, je le ferai éjaculer dessus, du coup c'est lui-même qui devra s'en débarrasser car il aura trop honte. Ça, ça serait grandiose !

J'ai oublié les fleurs. Faut pas que j'oublie les fleurs.

4

Je ne dors pas. Je passe des heures allongée sur mon lit à contempler le plafond de ma chambre en me demandant quand est-ce qu'il me tombera dessus. Je voudrais pouvoir entrer en transe et voir des dauphins défiler sur le mur, comme dans *Le Grand Bleu*. Je les verrais sauter devant moi et se mouvoir dans l'eau et je partirais avec eux. J'irais nager à l'infini, accrochée à leur dos. Je parcourrais les océans et je ne m'arrêterais jamais. Je voudrais voir des papillons aussi, des fées. Pourquoi tout le monde rêve de fées et pas moi ? Pourquoi je suis pas une fée ?

Ils nous ont pourri notre enfance avec leurs contes à la noix, ils nous ont fait rêver à des tas de choses et on y a cru. Au Père Noël, à la petite souris, aux cloches, à la magie, aux princes charmants. Le résultat ? On se morfond toutes dans une vie merdique à continuer de rêver les yeux grands ouverts à toutes ces histoires dont on nous a bourré le crâne quand on était petites. Et on est malheureuses parce qu'on continue à attendre et attendre et attendre, en regardant par la fenêtre à la recherche d'un quelconque signe et que, patience, bientôt ce sera notre tour.

Je l'ai attendu, moi, ce signe. J'en ai passé des heures à ma fenêtre, à me demander si le gars dans sa BMW noire qui s'était arrêté au bas de la rue venait pour moi, si l'énorme colis qu'apportait le facteur était un tapis magique qu'un prince d'Arabie m'avait envoyé, à me demander simplement si un jour je pourrais enfin quitter cette baraque minable, ce job minable, cette vie minable. Mais non, j'ai attendu, j'ai regardé par la fenêtre et personne, personne n'est venu pour moi. De toutes les façons, j'ai besoin de personne. Mes lucioles, je peux très bien me les fabriquer moi-même, avec un peu d'imagination, en me concentrant très fort. J'arrêterais de voir cette saleté de plafond jauni par les années pour voir danser des princesses indiennes. Et j'irais danser avec elles.

Et puis j'ai piqué un couteau pointu dans les cuisines hier. Là, je suis trop fière ! J'ai fait croire à l'apprenti en cuisine que c'était moi qui étais de corvée de plonge, alors que cet idiot se serait renseigné, il aurait tout de suite compris que c'était pas possible car il est formellement interdit de me donner tout objet potentiellement dangereux : couteau, rasoir, ciseaux, compas, même un critérium. C'est parce que j'en suis à ma troisième tentative de suicide. Trois, déjà. Mais je finirai par y arriver, je le sais. C'est juste que, jusqu'à présent, je ne me suis pas vraiment appliquée. Parce que je suis assez intelligente pour réussir, bien sûr. Quand je l'aurai décidé.

C'est moi qui décide. Moi toute seule. Enfin bon, l'apprenti, il savait pas et je lui ai fait mon regard innocent et même râleur de devoir faire la plonge et avant qu'il capte, j'avais du liquide vaisselle plein les mains et j'essuyais les assiettes. Comme je m'appliquais si bien, il a arrêté de faire attention à moi et j'ai vite caché un couteau, dans mon pantalon. C'était trop marrant de le sentir là-dedans. Enfin, après il a glissé et il est tombé au fond de ma petite culotte. Du coup, quand je marchais, je le sentais butter contre mon vagin et c'était pas terrible. Mais j'ai fait comme si je regardais toutes les affiches en passant dans le couloir pour marcher le plus lentement possible et personne n'a rien vu. Puis Mélanie, l'infirmière, elle a pensé à vérifier la chambre mais pas la cuvette des WC. Alors là, maintenant, j'ai mon couteau. Mon joli couteau à moi. Mais je vais pas le gâcher, non, je vais prendre mon temps. Savoir exactement ce que je vais en faire, où je peux le cacher pour que les infirmières ne le trouvent pas. Parce que là, tout de suite, je serais bien tentée de me taillader les veines un tout petit peu, juste histoire de me vider d'une partie de mon sang et de pouvoir planer. Parce que, sérieux, j'arrive pas à les voir sinon, mes lucioles. C'était facile chez moi : somnifères, whisky, vodka, mais ici, tout m'est interdit. Ce qu'ils peuvent être cons dans cet hosto ! Ils auraient essayé ces trucs que jamais ils auraient interdit tout ça. Comment peut-on interdire des trucs aussi bien ? C'est comme les nanas qui font un régime et arrêtent de bouffer du chocolat. Pas étonnant après qu'elles piquent des crises de folie et pleurent à tout bout de champ. Quelle stupidité ! Tout ça pour être belles, pour plaire aux hommes, pour se marier, pour faire des gosses, pour finalement devenir grosses parce que Dieu nous a ratées dans notre conception, pour faire d'autres gosses, pour devenir encore plus grosses, pour arrêter de baiser parce que leurs maris ne voudront plus d'elles, pour les regarder baiser d'autres nanas plus belles pendant qu'elles, elles se taperont les gosses qui leur vomiront dessus, pour vieillir, pour être malheureuses, pour crever. Autant être grosse tout de suite, on évite bien des déceptions. Mais j'avoue, s'il fallait choisir entre le sexe et le chocolat, qu'est-ce que je choisirais ? Oui, le sexe bien sûr. Mais discrètement, j'irais quand même manger du chocolat. Ou alors, ah oui, ça c'est parfait : obligée de faire l'amour à chaque tablette de chocolat engloutie. Le voilà le bonheur. Pourquoi j'y ai pas pensé plus tôt ? Oui, mais avec qui ? Ici, y en a bien du chocolat, mais des mecs ? Les infirmiers n'ont pas le droit. Pourtant, je vois bien que Stéphane, il serait pas contre. Faut que j'arrive à le coincer celui-là, un moment où on sera tous les deux.

Quatre heures vingt-six. Bientôt huit heures. Je vais y arriver. J'en étais où ? Ah oui… mes lucioles. Le problème, c'est que mes poignets, ils les voient tout le temps. Les chevilles aussi, le cou aussi. Y a que mon sexe qu'ils ne voient pas. Mais je peux pas me taillader le clito. Non, faut que je trouve autre chose. Ou l'intérieur de la bouche ? C'est nul aussi ça. Je vais y réfléchir. Puis faut que je trouve une autre planque pour mon couteau. Celle-là, ils finiront par la découvrir. J'ai pensé à le cacher au fond de la poubelle, mais ils la vident tous les jours et jamais à la même heure. Ou alors dans la mie de pain. Mais il me faudrait un gros bout de pain. Seulement, il risque de durcir et de sécher, le bout de pain. Faut que je trouve autre chose.

5

Ils ont piqué mon couteau! Ils l'ont trouvé et ils ont hurlé. Enfin, c'est Solange qui l'a trouvé et elle a aussitôt appelé le médecin en chef qui a convoqué tout le personnel pour trouver le responsable de cette négligence. Et moi, je criais aussi. C'était mon couteau, ils n'avaient pas le droit de me le prendre. Je suis plus une gamine après tout. Ils font chier tous ces connards. Des enfoirés qui prennent leur pied à faire souffrir les autres. Si je le récupère, mon couteau, ce sera pour les saigner comme des porcs. Un coup net dans la jugulaire, la tête coupée en deux direct, et paf, j'irais jouer au Frisbee avec, ou mieux, j'en ferais un pot pour y mettre leurs bouquets de fleurs à la con. Ça ferait des jolis pots, j'en suis sûre. Le toubib, il m'a regardée avec des yeux pas contents et il m'a demandé pourquoi j'avais pris ce couteau, ce que je comptais en faire, tout ça, et moi je lui ai juste répondu que c'était un salaud et qu'il pouvait aller se faire foutre. Alors il a soupiré et il a demandé aux infirmières de me donner un calmant, qu'il me verrait cet aprèm' en séance privée. J'y suis allée, dans son cabinet. C'est pas juste d'ailleurs car il faisait beau et que tous les autres étaient dehors, en plein soleil, à jouer au foot ou à lire, et moi j'étais enfermée dans son cabinet vieillot avec ses affiches de sourires d'enfants collées au mur. Comme si ça allait nous donner envie d'aller mieux. Moi aussi je l'ai lu que l'orange et le bleu, c'étaient des couleurs apaisantes qui apportaient de la gaieté. C'est pas pour autant que je me fends la gueule de rire tous les jours. Sont cons ces toubibs. Bref J'ai eu droit au regard habituel, au silence entre chaque question et au ton condescendant qui me donne envie de gerber. La routine habituelle. J'ai repensé à mon idée de le faire éjaculer sur mon dossier. Mais manque de chance, il n'avait pas mon dossier. Il a dû lire dans mes pensées. Faut que j'apprenne à bloquer mes pensées, comme dans *Harry Potter*. L'oclumancie ou je sais plus trop quoi.

Je suis restée plus d'une heure dans son fichu bureau, finissant par lui dire que je regrettais, que je ne savais pas pourquoi j'avais pris ce couteau, que ça avait été sous le coup d'une impulsion subite mais que j'avais rien voulu faire de mal avec puisque, la preuve, je ne l'avais pas utilisé. Je l'avais juste caché là parce que j'avais trop honte de le rendre. Je pense qu'il m'a crue parce qu'il a dit que c'était bien, que ça voulait dire que j'avais progressé sur la voie de la guérison. Et moi je regardais l'heure et je me disais qu'à cinq heures le soleil se cacherait derrière les bâtiments et qu'il me restait moins d'une heure pour pouvoir àller m'étendre dans l'herbe et sentir sa chaleur sur mon corps. Alors je lui ai dit oui, oui, oui, j'ai été bien sage et j'ai pris mes petits yeux de coupable, et à quatre heures et quart il m'a laissée partir et j'ai couru jusqu'au jardin. Trois quarts d'heure de soleil. Le pied ! Je voudrais rester comme ça toute la vie.

6

Je fais partie d'un univers irréel. J'ai basculé dans l'autre monde, où il n'y a que du chaos et de la poussière. Je ne trouve plus la sortie. Je cours et je m'agite, je m'affole, j'appelle à l'aide, mais personne ne vient. Je suis seule. J'entends leurs pas. Ils ont augmenté mon dosage. Je ne vois plus rien, je ne distingue plus que des formes qui ne veulent rien dire, des ombres qui s'emparent de moi, me lèvent, me nettoient, me couchent. Des ombres qui me prennent comme une poupée inanimée, un morceau de tissu qu'on chiffonne à sa guise. Je ne trouve plus la lumière.

Je crois que je vais vomir. J'ai la tête lourde, des nausées, envie de frapper mon crâne de toutes mes forces contre un mur, de m'arracher le ventre, de fouiller dans mes tripes pour les réduire en bouillie tellement ça fait mal. Envie de hurler et de me laisser mourir. Oui, envie de mourir, d'en finir avec cette douleur qui me ronge le corps de l'intérieur et me fait si mal. Mais je ne peux pas. Il y a toujours quelqu'un pour venir me calmer, une voix qui me chuchote des mots doux à l'oreille. Est-ce que c'est toi, maman, cette jolie voix qui me dit de ne pas avoir peur ? Que je n'ai pas à m'inquiéter, que bientôt tout sera fini ? J'ai les yeux qui se ferment tout seuls, les paupières lourdes. Je sombre dans l'irréalité de la pièce, tout tourne autour de moi, je ne sais plus l'heure qu'il est, le lieu, le temps, le jour, la nuit. Tout est gris et froid. Et le moindre mouvement m'arrache un effort insurmontable. Je voudrais me lever, mais mes liens me gardent attachée au lit. J'essaie de bouger les doigts de la main droite, mais ils refusent de m'obéir. C'est trop serré. S'il vous plaît, je serai sage, je n'essayerai pas de m'enfuir mais ôtez mes liens, donnez-moi un peu de liberté. Je ne sais plus pourquoi je suis là. Qu'est-ce que j'ai fait ? Qu'est-ce que j'ai dit ? Je n'ai tué personne. Je ne sais plus. Je me rappelle mon nom, je me rappelle la couleur de ma maison, le bruit de la machine à laver. J'ai oublié le reste. Est-ce que j'ai de la vaisselle en porcelaine ? Est-ce que le canapé du salon est en cuir ? Est-ce que j'ai une jolie maison ? Est-ce que j'ai épousé l'homme que j'aimais ? Et pourquoi m'ont-ils attachée ? Pourquoi je suis là ? Pourquoi j'ai mal à la tête, comme ça ? Je crois que je viens de me vomir dessus. Ça ne sent pas bon. Puis je pleure et ça m'empêche de respirer. Ça fait mal.

Je croyais que les murs étaient blancs. Pourquoi ça devient rouge ? C'est quoi ces ombres devant moi ? C'est mon heure ? On vient me chercher ? C'est vous mes parents ? C'est toi, Loïc ? Je ne veux pas que tu me voies comme ça. Je ne suis pas belle. S'il te plaît, ne me regarde pas, attends. Je… je voudrais mettre ma belle robe, celle que tu m'as offerte quand on est allés au Grau-du-Roi. Tu te souviens ? Il faisait beau, et tu riais, et tu me disais que tu m'aimais et que j'étais la personne la plus incroyable du monde. Et moi, je te croyais.

Je viens de me vomir dessus à nouveau. Pourquoi y a personne qui le voit ? Pourquoi y a personne qui vient me détacher et me nettoyer ? Pourquoi y a jamais personne pour moi ? S'il vous plaît, je serai sage, me laissez pas crever comme ça.

7

Jeudi. Le jour de la thérapie de groupe. La pire. Y en a une autre le lundi, mais celle-là, j'arrive à peu près à la supporter parce qu'il n'y a pas ce cornard de Baptiste dans le groupe. Baptiste, c'est mon angoisse, ma frayeur, ma peur, la seule personne que je redoute réellement dans cet asile de fous. Je ne sais pas quel âge il a, quarante ans, peut-être plus. Peut-être même cinquante. J'en sais rien. En tout cas, il ressemble à rien. Il a perdu presque tous ses cheveux, on voit son crâne à chaque fois qu'il se penche, blanc et bossu avec des taches brunes de vieillesse. Ou d'un autre truc, peut-être. Si ça se trouve, il a le sida, ça expliquerait bien des choses. Ou un cancer. Un cancer généralisé qui le ferait atrocement souffrir. Ça serait le pied. Et y aura personne pour venir lui tenir la main à celui-là quand il crèvera, j'en suis sûre. Baptiste est un salaud, mais un vrai de vrai, comme on n'en voit plus que dans les films. Il aime faire pleurer les gens et les voir hurler de douleur juste pour le plaisir que ça lui procure. Il se délecte de nos cris et de nos états dépressifs. C'est vrai que ça m'arrive de vouloir être méchante et de maudire les gens qui m'entourent en leur souhaitant tout le malheur du monde, mais je sais que quand je suis comme ça, quand je pense ces choses, c'est parce que ça va pas dans ma tête. Parce que j'étais gentille avant. Avant quoi ? Je ne sais plus. Avant l'hôpital, oui, mais où ? Et pour quelle vie ? J'ai oublié. Parfois, j'entrevois des couleurs qui me sont chères, des lieux qui me parlent, mais c'est comme s'il y avait un grand mur dans mon cerveau, une pièce toute en briques, sans fenêtre, où mon esprit cache tout ce que je veux effacer. Et comme il n'y a pas de fenêtres dans ma pièce, je ne peux pas voir ce qu'il y a dedans et j'oublie, comme si ça n'avait jamais existé.

J'ai cet ours en peluche dans ma valise. Je sais qu'il n'est pas à moi, je sais qu'il est à quelqu'un que j'aimais mais je ne sais plus qui. Je voudrais savoir pourtant. C'est pour ça que la dernière fois je l'ai apporté à la séance du jeudi, celle où il y a Baptiste. Quand ça a été à mon tour de parler, j'ai brandi mon ours en disant qu'il était dans ma valise depuis le jour de mon arrivée mais que je ne savais pas ce qu'il y faisait ni à qui il était. J'avais les larmes aux yeux parce que je sentais qu'il aurait dû être très important pour moi cet ours, qu'il n'était pas là par hasard. La preuve, je n'ai rien mis d'autre dans ma valise que mes fringues et cet ours. Ni photos, ni souvenirs, ni livres, ni rien. Juste cet ours. Alors tout le monde était très ému et cherchait à m'aider, me disant que c'était peut-être l'ours avec lequel j'avais grandi. Mais ce n'est pas possible car il serait tout rapiécé et pas aussi beau. Alors Baptiste m'a regardée avec son horrible sourire, celui qu'il affiche toujours sur ses grosses lèvres dégoûtantes quand il a trouvé quelque chose de particulièrement méchant à dire. Et il a déclaré, bien fort, que j'avais dû violer un petit garçon ou une petite fille, et lui piquer son ours en peluche. Que d'ailleurs, juste avant mon arrivée, y avait eu un flash info à la télé comme quoi on avait retrouvé un petit garçon violé et égorgé dans les bois et que ça l'étonnerait pas que ce soit moi vu que je parlais tout le temps de cul mais que je baisais avec personne car j'étais trop moche pour que quelqu'un ait envie de moi. Lucas, le psy, lui a immédiatement ordonné de se taire, mais Baptiste a continué à rire aux éclats et à dire des horreurs, alors je lui ai sauté dessus et je lui ai griffé le visage de toutes mes forces jusqu'à le faire saigner. Le psy a dû appeler les infirmiers qui nous ont séparés parce que personne n'osait s'approcher de nous. Je me suis retrouvée dans ma chambre, sous sédatif, avec un œil au beurre noir et le t-shirt déchiré. Mais le pire, c'est que mon ours a été piétiné pendant la bagarre. Maintenant, il a l'estomac un peu ratatiné. Il ressemble toujours à un ours mais à un ours qui aurait fait une sacrée diète pendant quelques années. Voilà. Maintenant, je me tais. Je raconte plus rien de personnel, même si je sais que Baptiste ne sera pas là aujourd'hui.

Je ne dirai rien. J'écouterai les autres et quand ce sera mon tour, je raconterai des trucs débiles, n'importe quoi qui me passera par la tête mais qui n'aura rien à voir avec mes questions. Parce que j'en ai plein, des questions. Pourquoi je suis là ? Pourquoi y a jamais personne qui vienne me rendre visite ? Jamais. Pourquoi les infirmières me jettent parfois un regard antipathique comme si j'avais fait quelque chose de mal alors que je ne me souviens de rien ? Où est ma famille ? Est-ce que j'ai une famille ? Et c'est quoi mon métier ? C'est quoi ma vie ? Je suis pas amnésique puisque je me rappelle très bien mon enfance, mon nom, mes parents et ma sœur, plein de choses, le nom du président de la République, le prix d'une baguette de pain, mes copains de fac. En fait je me rappelle tout sauf ma vie de ces dernières années. Depuis Loïc… Loïc est mon mari, je le sais. Et je sais que je l'aime.

Je l'ai rencontré lors d'une vente aux enchères. Il y avait un magnifique tableau que je voulais absolument, je m'en souviens parfaitement, un paysage des côtes bretonnes. J'avais dit à Déborah que j'étais prête à me ruiner et à y laisser tout mon compte en banque tellement il me fascinait. Mais bon, la somme a bien vite atteint la barre des trois mille euros donc, évidemment, je ne pouvais plus enchérir. Aussitôt, il y a eu cette voix, au fond de la salle, qui a dit « quatre mille » et tout le monde s'est exclamé de surprise. Ravi, le p'tit gars de la vente a adjugé et le tableau a été vendu. J'étais dépitée, complètement abattue de ne pas avoir eu ce tableau. C'était un paysage tout simple, un arbre, en haut d'une falaise, qui dominait l'océan à ses pieds. Les blocs de rochers au loin, la fureur de la mer, le gris du ciel. Mais pour moi, c'était tous mes rêves. C'était la liberté, l'envol vers l'horizon, vers l'inconnu, vers le pays du tout est possible. Ce tableau m'appelait, il happait mes sens, il me faisait vibrer. Je suis sortie fumer une cigarette, attristée. C'est à ce moment-là que Loïc m'a abordée. Il est venu droit vers moi, le tableau sous le bras, et il me l'a tendu, en me disant simplement qu'il l'avait acheté pour moi mais qu'il ne voulait pas que je lui demande pourquoi. On s'est mariés peu de temps après. C'était un super mariage, pas du tout comme ceux dont toutes les petites filles rêvent comme des idiotes, avec l'extraordinaire prince charmant, la belle robe blanche, la famille idéale, les amis autour et tout le tralala. Non. La moitié de mes amis n'ont pas pu venir, ma mère s'est engueulée avec ma sœur au milieu de la cérémonie, et Loïc et moi, complètement bourrés, nous nous sommes rétamés sur la piste de danse devant tout le monde parce que j'avais marché sur ma robe. Ou lui. Peu importe, c'était vraiment drôle. Le couple du jour, perdu dans les jupons de la mariée, ne trouvant plus la sortie, et la mariée, moi, incapable de me relever. Un super mariage !

Qu'est-ce qui a raté alors ? Pourquoi le reste est tout noir ? Pourquoi Loïc n'est-il jamais venu me rendre visite ? Je sais qu'il n'est pas mort. Je le sentirais si c'était le cas. Alors pourquoi ? Pourquoi ?

Va falloir que je parle aujourd'hui, que je prenne joyeusement ma place au milieu du cercle et que je dise où j'en suis dans ma tête, ce que je ressens et un paquet d'autres conneries. D'habitude, je passe le mercredi à élaborer des stratégies argumentatives, genre tout ce que je pourrais dire pour faire rire les autres ou pour faire chier Lucas, même si je l'aime bien celui-là. Après tout, c'est un des seuls qui m'a toujours regardée normalement, pas comme si j'étais un monstre ou une bête à abattre. Mais j'ai pas envie de lui faire plaisir. Si je commence, après je vais craquer. C'est pour ça que je passe mes mercredis à réfléchir à ce que je vais raconter, pour être sûre. Mais hier, j'étais pas très bien alors j'ai pu penser à rien. Du coup, je ne sais pas ce que je vais dire. Rien. Je crois que je vais rester muette. Tant pis. Je l'ai encore jamais fait ce coup-là, alors ça devrait passer.

8

On a fait des massages cet après-midi. Y a une dame qu'on connaissait pas qu'est venue dans la grande salle. Ils avaient disposé des tables un peu partout avec des serviettes sur chaque table et un flacon d'huile d'olive à côté. Y avait que des femmes. Les hommes pratiquaient une autre activité je crois, en tout cas, ils n'étaient pas là. Faut pas mélanger les sexes bien sûr. Bref, la dame nous a appris comment masser. Au début, c'était chouette. J'étais avec Nicole, c'est une petite brune du quatrième qui est là depuis un an. Ses parents et son frère sont morts dans un accident de voiture. Depuis, elle ne veut plus quitter l'hôpital. Je crois qu'elle a trop peur du monde extérieur. Elle a vingt-quatre ans. C'est triste. Au moins, elle est gentille. Nicole s'est allongée sur la table et moi j'ai suivi ce que disait la masseuse : bien enduire ses mains d'huile, commencer par chauffer les épaules puis descendre le long de la colonne vertébrale en n'ayant pas peur d'appuyer. Ensuite, remonter doucement et recommencer, afin de sentir chaque os et chaque muscle dorsal. Après, faire des cercles de plus en plus petits en remontant vers la clavicule puis redescendre à nouveau et masser les reins. C'était chouette. En plus, ça sent bon l'huile d'olive. J'avais envie de me lécher les doigts. J'avais aussi tellement envie de lui faire plaisir à la puce. Du coup, je me suis super appliquée. Je voulais l'entendre ronronner comme un gros chat. La dame est passée à côté de moi et a dit que je massais très bien. J'étais trop fière et Nicole a confirmé, déclarant que j'avais des doigts de fée.

Le problème, c'est qu'après ça a été mon tour. Et là, ça n'a plus été drôle du tout. Ça faisait trois mois que je ne m'étais pas déshabillée devant quelqu'un d'autre que les infirmières. Trois mois qu'il n'y avait que moi qui voyais mes seins. Je ne pensais pas que c'était si important. En fait, je n'y avais jamais pensé. Mais quand j'ai dû ôter ma chemise puis mon soutien-gorge, ça m'a fait bizarre. Je n'osais pas, j'étais pudique. J'avais l'impression que tout le monde reluquait mes seins. Pourtant, y'a une sacrée quantité de paires d'yeux qui les a vus, mes nichons. Et, malgré ce que dit Baptiste, je suis belle, je le sais. La preuve, avant, quand je voulais un mec, je l'avais. Puis Loïc serait jamais venu me trouver si je n'avais pas été jolie. Est-ce qu'on offre un tableau à quatre mille euros à une nana qui n'est pas belle ? Non. C'est horrible, mais c'est comme ça. Les moches, on les aime bien, on les choisit comme bonne copine, on leur raconte nos misères mais on ne va pas leur décrocher la lune. Pourtant, ça serait cool. J'ai des copines pas très jolies mais je voudrais tant qu'elles vivent comme moi des super histoires d'amour, de sexe même. Des parties de folie dans la baignoire,

40

suivies de câlins au coin du feu, de sexe sur le tapis du salon et de tendresse dans le grand lit. Et les cernes au petit matin pour nous rappeler à quel point la nuit a été formidable. Parce que je voudrais bien leur raconter tout ça à mes copines pas jolies et comment j'ai joui et comment j'ai hurlé de plaisir mais alors je verrais l'envie dans leurs yeux, elles qui n'ont pas connu tout ça, et ça me ferait mal. Je suis sûre qu'il y a quand même des mecs bien qui font vibrer des nanas pas jolies, mais c'est comme pour les obèses. Qui offrirait une heure de sexe dans la baignoire à une obèse, suivie d'un jeu de positions du *Kama-Sutra* dans chaque pièce de la maison et d'une fellation sur le balcon ? Y a une obèse au troisième étage. Faudrait que je lui demande si elle a déjà eu des purs moments de sexe. Peut-être que oui et alors je me trompe, mais je ne vois pas comment. Et puis déjà, moi, je ne suis pas très grosse et pour que le mec me porte à bout de bras pendant qu'on fait l'amour, il faut qu'il soit musclé. Mais alors une grosse ! Ou peut-être qu'ils utilisent d'autres positions, les obèses ? Des positions spéciales pour eux ? Puis je m'en fous, alors pourquoi j'y pense ? Ce sont les cachets. J'arrive plus à rester concentrée. Je me mets à penser à tout et n'importe quoi et, au final, je ne sais même plus pourquoi je pense à ça. Il faut que je me concentre très fort pour savoir de quoi je parlais. Le sexe, Baptiste le connard, le sexe, Loïc, non, ah oui, Nicole, les massages. Je me souviens. La séance de massages cet après-midi.

Oui, bah en fait, j'aurais mieux fait de ne pas m'en souvenir finalement. Parce que c'était horrible. Je ne voulais pas qu'elle me touche, je ne voulais pas de ses mains sur moi. Je ne voulais pas d'elle. Je me suis allongée sur cette fichue table et avant même de sentir ses doigts sur ma peau, j'ai su que je n'y arriverais pas. J'avais le haut du corps nu, j'entendais la dame expliquer une nouvelle fois comment faire un bon massage du dos. Mais bien vite, la voix s'est faite lointaine. À peine ai-je posé ma tête sur l'oreiller et fermé les yeux, quand Nicole a dégagé de ma nuque la masse de mes cheveux, que je suis partie. Et tout m'est revenu : la sensation du toucher, de la main d'un autre sur ma peau, de l'envie de cet autre. Ne pas savoir ce qu'il va faire, où il va aller, comment il va caresser. L'électricité qui parcourt le corps, la peau qui tremble, le désir qui monte au cerveau et rend la tête lourde, l'envie de tout, la perte de la réalité et l'inconscience qui s'empare de l'esprit, l'impression de flotter, de devenir liquide, pâte à modeler, morceau de glaise à sculpter à l'infini. Elle a posé ses mains sur mon dos, mais c'était les mains d'un homme que je sentais. C'était celles de Loïc. C'était ses mains qui caressaient mes épaules, ses mains qui taquinaient mes poignées d'amour avant de se perdre dans le creux de mes reins, ses mains qui réveillaient mon corps de trois mois de léthargie. Soudain, j'ai eu envie de lécher ses doigts, de les enfoncer au plus profond de ma bouche et de les sucer avec amour. Je me suis retournée promptement. Mais ce n'était pas Loïc. Ce n'était pas lui. Nicole m'a regardée sans comprendre. Je me suis mise à pleurer. J'étais perdue. Je ne savais plus, je voulais Loïc, je voulais partir. Je… J'étais nue et j'ai croisé les bras sur ma poitrine pour la cacher parce que j'avais honte. Ensuite, j'ai pleuré de plus belle en me recroquevillant sur moi-même. Une infirmière est aussitôt venue, m'a aidée à me rhabiller et m'a raccompagnée dans ma chambre. J'ai pleuré jusqu'au dîner.

Là, on m'appelle, mais je ne veux pas descendre. Je ne veux pas les voir, tous ces attardés mentaux. J'en ai marre. Je vais me cacher sous la couette et dire que j'ai pas faim. C'est ça, je ne descendrai pas. Je ne descendrai pas.

9

Je me souviens, de tout. Je n'ai pas oublié. Je me souviens de la décharge électrique qui précède l'acte, de l'état de transe que procure la caresse de l'autre quand il s'approche par-derrière et pose sa main sur notre épaule, lentement, juste un effleurement. Je me souviens de la sensation de légèreté, les jambes qui se dérobent, le frisson qui nous gagne. Parce qu'on ne sait jamais ce qui va se passer, parce que tout notre corps est à l'écoute, perdu dans l'instant présent, happé par la chaleur qui s'est emparée de nous. Comme un morceau de nuit, d'une nuit en particulier, de cette nuit-là.

On était allés à Montmartre. Il n'était encore qu'un ami, un ami pour lequel mes sens hurlaient de désir, mais qu'un ami tout de même. On a monté les célèbres marches menant au Sacré-Cœur, si nombreuses qu'elles m'ont laissée haletante, mes bottes à talon aiguilles n'étant pas adaptées à ce genre de promenade. J'ai fait semblant de m'accouder à la balustrade pour admirer le paysage afin de cacher mon souffle court. Il y avait la lune et les étoiles tout autour, les toits parisiens qui se détachaient dans la nuit et brillaient dans le silence. Il s'est approché de moi, son manteau effleurant le mien, et il a posé sa main gauche, cette simple main, sur ma nuque. Je me suis aussitôt envolée. Sans possibilité de retour. Mon corps s'est éveillé, mon esprit a arrêté de penser et mon cœur de chercher. Je savais, même s'il n'y avait rien à savoir. L'esprit est lié au corps de manière indissociable. Parfois l'esprit s'échappe et le corps a du mal à suivre. Mais parfois c'est notre corps qui nous dit stop, arrête de penser, laisse-toi aller, laisse-toi pénétrer... Parce que déjà, fermer ses lèvres serait un crime puisque le dessèchement qui s'est emparé de notre bouche appelle au désir et qu'il nous faut à tout prix étancher cette soif. Se laisser aller sans penser, se laisser posséder sans peur, se laisser aimer sans question. J'ai su faire ça. J'ai aimé ça. J'ai été ça. Mais j'ai perdu la capacité d'être cette personne.

Je suis allongée sur mon lit depuis un bon moment déjà, le regard tourné vers la fenêtre, sans bouger. Je pense. Mon esprit se laisse envahir par des pensées érotiques, ma bouche s'ouvre d'envie. Mais ça ne marche pas, je ne retrouve pas le truc, ce truc, le truc qui me faisait décoller, le truc qui faisait tomber les barrières et rendait tout incontrôlable, le truc qui me faisait hurler. L'orgasme. Depuis combien de temps n'ai-je pas eu d'orgasme ? Est-ce que je me rappelle au moins ce que c'est ?

Je me revois en train de crier, dans le grand lit de l'appartement de l'avenue Magenta. L'odeur de mon plaisir mélangé au sien, la sueur sur mon front, mes joues brûlantes et mes mains qui pétrissaient l'oreiller afin de ne pas enfoncer mes ongles dans sa peau et de ne pas lui lacérer le corps, mes dents qui mordaient les draps de toutes leurs forces pour ne pas hurler si fort que la terre en aurait vacillé. Comme une vague qui montait en moi. D'abord les prémices, les jambes qui tremblent, la poitrine qui sursaute, la mâchoire qui se crispe, puis plus fort, la tension qui monte, le plaisir qui fait cambrer les hanches, la respiration qui s'accélère avant de s'arrêter dans un excès de jouissance. Ensuite le tonnerre, l'orgasme absolu qui s'empare de notre corps. Alors, on a beau crier, hurler de toutes ses forces, déchirer toute chose qui se trouve à notre portée, la sensation est là, au plus profond de notre être, comme une onde sismique qui se répandrait à la surface du globe et dont le foyer épistémique serait les profondeurs de notre vagin. Le monde en son corps et le corps dans l'univers. Et l'on voudrait que jamais ça ne s'arrête, même si c'est insupportable, même si on pense qu'on ne tiendra pas le coup, même si on crie et qu'on se tord de douleur, parce que c'est trop bon. Irréel aussi. Mais ça s'arrête. Soudain, on retrouve la pesanteur, le toucher des draps, la sensation d'être sur terre, perdue dans un lit chaud, le corps encore frémissant de ce qu'il a vécu. On halète et on cherche à retrouver ses esprits, la réalité de l'existence et du corps physique. On récupère la vue et alors on l'aperçoit, là, au-dessus de soi, le front également perlé de sueur, le regard attendri et heureux de nous avoir emmenée si loin. On le regarde et on se dit qu'on a fait le même voyage. Tout devient plus beau, plus grand, plus vivant. Le bonheur de vivre, le centre du monde. Qu'est-ce qui peut rivaliser avec cette intensité ?

J'ai perdu ça. Je ne peux plus, je ne sais plus. Je rêve d'amour, d'orgasme et d'infini, mais je ne supporte plus qu'un homme me touche. J'ai peur de chaque regard et de chaque main compatissante posée sur moi. Comme si les caresses d'autrefois et l'adrénaline créée par l'incertitude s'étaient transformées en une peur tenace qui ne me lâche plus. Le délicieux remplacé par la paralysie, la douceur par l'amertume. Quelque chose que je ne comprends pas et qui me fait reculer à chaque marque de tendresse.

Je n'ai toujours pas bougé. Je crois que je n'y arriverai plus de toute façon. Ça fait tellement longtemps que je suis dans cette position, tellement longtemps que j'ai perdu la volonté de tout. Si j'avais été seule chez moi, je me serais laissée mourir ainsi, en cherchant à retrouver en mon corps la sensation de la caresse de l'autre. Simplement en me rappelant et en imaginant. Car si je ferme les yeux, il n'est pas difficile de ressentir la main de l'autre sur mon ventre, ses baisers sur mon front, ses doigts dans mes cheveux. Et puisque c'est moi qui imagine, je n'ai pas à avoir peur. Je ne me ferai rien de mal. Je ne me ferai que des choses que j'aime, et des choses pas dangereuses. Je resterai là sans bouger, à imaginer jusqu'au petit matin. Juste à me rappeler, comme autrefois…

10

La force de l'amour, c'est de croire, toujours, que le temps n'est rien au creux de nos mains, tant que, dans nos yeux, brûlera le feu qui donne à nos vies une couleur épanouie...

Je me souviens, j'avais écrit ça, il y a longtemps. Je n'y crois plus à présent. Comment pourrais-je y croire dans ma prison de tarés ? Personne ne vient me rendre visite, personne ne m'appelle, personne ne semble se souvenir que je suis toujours là, vivante. Comme si je n'existais plus, pire, comme si je n'avais jamais existé, jamais compté pour personne. Une vie à l'intérieur de mon corps qui n'a rien donné à qui que ce soit. Ça fait mal. En fait, je pleure. Je regarde par la fenêtre, je laisse la cigarette se consumer à mes lèvres, jusqu'à ce qu'une larme la heurte et la déséquilibre. Alors je m'essuie les yeux, et je recommence. Je ne veux pas y croire, je ne peux pas y croire. Ce n'est pas possible. Même Hitler aurait eu de la visite s'il avait été incarcéré. Quoique, celui-là, ç'aurait été pour le buter. Mais moi, je ne suis pas Hitler. Qu'est-ce que j'ai fait, bon Dieu ? Quand je demande aux toubibs, quand je hurle et que je me débats parce que je veux savoir, ils prennent un air triste et résigné et me reconduisent à ma chambre. Pourtant, je les vois les infirmières, du coin de me jeter des regards dégoûtés. Elles, elles ont envie de me piquer, et pour toujours, c'est sûr. Qu'est-ce que j'ai fait ? Dites-le-moi !

Je me souviens de mon grand-père, enfin de l'homme qui était censé être mon grand-père mais que j'ai toujours appelé « le sale con ». Une fois, petite, alors que je dormais chez lui avec mes parents dans la chambre d'amis, j'ai eu besoin d'aller aux toilettes. Je me suis levée, j'ai entrouvert la porte et j'ai marché sur la pointe des pieds dans le couloir. Malgré ça, j'ai quand même dû faire trop de bruit. Immédiatement, il est sorti de sa chambre en hurlant, son flingue à la main, et il m'a ordonné de retourner me coucher en me pointant son arme sur le front, sale mioche que j'étais de le réveiller en pleine nuit alors que c'était un vieil homme qui avait besoin de sommeil. Je n'ai pas oublié l'expression de son visage à ce moment-là. On n'est jamais retournés chez lui. J'ai appris quelques années plus tard qu'il avait fait une crise cardiaque et que personne n'était allé le voir à l'hôpital. Il y est pourtant resté trois jours. Ça ne m'a fait ni chaud ni froid.

Mais moi, j'ai pas de flingue, j'en ai jamais eu. J'en suis sûre. Alors ce n'est pas ça. Puis de toute façon, je n'aurais jamais fait un truc comme ça, me servir d'un flingue. C'est plus grave, je le sens. Quelque chose qui doit rester caché, qu'il est honteux de dévoiler. Quelque chose qui bouleverse particulièrement les femmes. En parlant de femmes, j'ai eu une lettre de ma petite sœur la semaine dernière. Elle me dit que ma mère m'embrasse. Je n'en crois pas un mot. Si elle le pensait, elle me l'aurait écrit elle-même, c'est évident.

Ma cigarette s'est éteinte. C'est triste, une cigarette éteinte, un peu comme un verre vide. On se retrouve con à se demander ce qu'on fait, à contempler le verre bêtement en se disant « comme c'est étonnant, il y a à peine quelques secondes, c'était plein et maintenant c'est vide ». Tout s'en va, tout passe, et si vite… Loïc est riche, je peux me permettre d'acheter des paquets de cigarettes sans compter, je n'aurai jamais de problèmes financiers. Puis, de toute façon, si j'ai tué quelqu'un, soit je suis coincée ici pour perpète, soit ils m'envoient à la prison de je ne sais où me faire ramoner l'intérieur par les grosses gouinasses qui doivent traîner là-bas. Autant fumer vite et fructueusement pour me déclencher un cancer des poumons le plus rapidement possible. En plus, je ne sais même plus où j'en suis de mes cotisations pour la sécu. Sûrement pas loin. Donc pas de retraite ou bien une retraite de misère, parce que, soyons réalistes, un homme qui ne vient pas vous rendre visite ne va pas rester votre époux. Non, il va divorcer vite fait bien fait pour s'en trouver une autre beaucoup mieux, qui, pour le prix de l'ancienne, lui fera mieux à manger, repassera mieux ses chemises et le sucera plus souvent. Une amie m'avait dit un truc une fois à ce propos, qu'un homme ne quittera jamais une femme qui le suce comme une déesse, même si elle est nulle en cuisine ou conne comme un manche à balai. Je me suis toujours demandé si elle avait raison. Déjà, d'où elle avait tiré cette théorie, mais surtout, si elle avait raison, tout ce que ça impliquait alors et pourquoi les hommes étaient si faibles à ce niveau-là. En fait, à bien y réfléchir, je dois être un homme moi aussi, version orgasme vaginal. Sauf que je n'ai pas besoin d'un homme pour me préparer à manger ni pour repasser mon linge puisque je le fais déjà. Alors qu'est-ce que j'attends d'un homme, d'autre que le sexe ? Je crois que là je suis vraiment en train de me raconter un tas de conneries ! Parce que c'est sûr que faire l'amour me manque atrocement. Pourtant j'échangerais toutes les parties de jambes en l'air à venir simplement contre les bras de Loïc m'entourant avant de m'endormir, rien qu'une fois.

Fait chier, une nouvelle clope de gâchée à pleurer dessus. Cinq euros quarante divisé par vingt, ça fait combien ça ? Cinquante centimes, non ? Vingt-cinq plutôt. Oui, c'est ça, vingt-cinq. Finalement, c'est que dalle. Mais c'est pour ça que je n'arrive pas à m'endormir le soir. Parce qu'il n'est pas là, parce qu'il n'y a pas son odeur ni le toucher de sa peau. Parce que ce lit a beau être super confortable, il est totalement impersonnel et je m'y sens comme une étrangère. En plus, les femmes de ménage changent les draps tout le temps, du coup, à peine le lit prend-il enfin mon odeur que, hop ! je retrouve cet horrible parfum de l'assouplissant. Et chaque nuit Loïc s'efface un peu plus de mon cerveau et de mon corps, de tous mes sens. Je voudrais être un papillon, un petit être tout fragile qui pourrait voler où il veut, tout en répandant de la poussière magique sur son passage.

Je voudrais être une fée. J'ai toujours voulu être une fée. Mais depuis quelque temps, ça m'obsède quasiment tous les jours. J'y pense, je regarde les fleurs et je me vois me poser sur elles, les butiner et repartir le ventre plein et les lèvres encore sucrées et colorées de leur pistil. Ce serait si bon.

11

Je suis très sage depuis une semaine. Je ne pique plus de crises de hurlement, je n'essaie plus de m'enfuir à chaque fois que l'on ouvre la porte de ma chambre, je mange sagement mes repas sans les jeter contre les murs, je me lave tous les matins et je n'oublie pas de me brosser les dents le soir. J'empile même mon linge sale avant de le mettre dans la panière générale dans le couloir. Les infirmiers sont ébahis, les femmes de ménage ravies, et le psy, lui aussi, a l'air content de moi. Comme quoi, c'est facile de rendre les gens souriants. À condition d'avoir été une vraie harpie auparavant.

La vérité, c'est que j'ai dit au psychologue que j'étais prête, que je voulais savoir. Ça va faire quatre mois que je suis ici. J'ai eu mes moments de folie, j'ai sombré dans la dépression, j'ai fait n'importe quoi, j'en ai assez à présent. Je les ai contemplés, les autres, les vrais fous, ceux qui le resteront toute leur vie. Je ne veux pas finir comme eux. Je ne veux pas que la lumière que je vois briller dans mon regard quand je me regarde dans la glace disparaisse à jamais. Je suis vivante, je suis un être humain et je n'ai qu'une vie. Je ne veux pas la gâcher. Je ne veux pas la passer ici. Tant pis si j'ai tué quelqu'un et que pour cela je doive aller en prison. J'assumerai mon temps puis je retournerai dans le monde réel. J'irai finir ma vie à la campagne, à l'ombre d'un grand chêne à relire Barjavel et Nicholas Evans. À lire aussi toutes les histoires d'amour que j'aurai manquées pendant tout ce temps. Je serai une vieille dame toute fripée mais j'aurai ma tête bien à moi, mes pensées et mes poumons pour humer l'air frais de la nature et pour être capable de le sentir passer en moi. Je m'en ficherai que mon corps soit vieux et ridé, du moment que je serai toujours moi et que j'en aurai conscience. Si j'ai appris une chose ici, c'est bien celle-là : on peut être malade, moche, petit, gros, triste, aban- donné, au bord du gouffre, seul ou n'importe quoi d'autre, tant que l'on a toujours toutes ses facultés mentales et sa mémoire intacte, tant qu'on est soi- même et qu'on le sait, tant qu'on a conservé son intégrité, on est le plus heureux du monde. Je veux retrouver mes souvenirs, ces souvenirs qui m'appar- tiennent et qui font de moi ce que je suis. On peut me prendre tout le reste, je m'en fiche. Mais pas l'intérieur de ma tête, pas mes pensées, pas mes sentiments.

J'ai dit tout ça au psychologue et il a vu que je ne mentais pas, que ce n'était pas une ruse de ma part, un tour de plus que mon cerveau perfide aurait joué et non pas moi, Margot, la personne qui possède ce cerveau. Il a compris. Il m'a demandé si je saisissais tout ce que cela impliquait, que quelquefois se souvenir de certaines choses pouvait être pire que de ne pas savoir. Parce que la réalité pouvait être laide. J'ai tremblé quand il m'a dit ça. Soudain, j'ai eu peur de découvrir pourquoi j'étais là. Tant pis. Peu importe ce que j'ai fait, je veux retrouver la mémoire. Je veux redevenir une personne à part entière et être considérée comme telle, même si cette personne est un monstre. Parce qu'alors je serais certes un monstre qu'on hait mais qu'on hait parce qu'on reconnaît sa culpabilité. Je ne serais plus une pauvre folle. C'est tout ce que je veux. Être moi à nouveau. Être réelle. Être une femme.

12

On est mardi. J'ai passé la matinée à composer des bouquets de fleurs avec la grosse dame. J'ai choisi des jaunes et des orange. C'était la première fois que je choisissais des couleurs. Elle a été surprise, je l'ai vu dans ses yeux, toutefois elle n'a rien dit. Simplement, quand elle est venue peu après voir ma composition florale et qu'elle a arrangé une tige mal effeuillée, elle m'a dit aimablement que je progressais. Ses yeux pétillaient. J'ai baissé les miens et j'ai souri dans mon coin. En fin de compte, elle est gentille. Je ne sais même pas son nom. Évelyne, je crois, mais je n'en suis pas sûre. Il faudra que je lui demande mardi prochain.

C'est le psy qui m'aide à me souvenir. Depuis que je lui ai dit que j'étais prête et qu'il a donné son accord, les infirmiers ont changé mes cachets. Je pense que ça fait partie du processus. Avant, j'avais trois pilules blanches et deux vertes. Maintenant, je n'ai plus les blanches et à la place des vertes, j'ai une rose et une jaune. Est-ce que c'est mieux ? Ils ne répondent pas quand je leur pose la question. Mais je me sens différente. J'arrive mieux à réfléchir, il y a moins de brouillard dans ma tête. Je dors également beaucoup moins qu'avant. Bon, ça ne fait que quatre jours, j'ai compté. Tout de même, je me sens vraiment différente, plus légère, je me sens plus moi aussi. Quand on me parle, je comprends instantanément. Avant, j'entendais les mots mais il me fallait du temps pour qu'ils me parviennent. Je les entendais entrer lentement dans mes oreilles puis aller dans mon cerveau. D'abord, il n'y avait que des sons bizarres. Ensuite, les sons se transformaient et alors ça voulait dire quelque chose, je comprenais. Puis je répondais. C'était amusant car quand je répondais, les mots sortaient tout seuls et je les entendais dehors comme je les entendais dans ma tête, en même temps. Il n'y avait pas de décalage. Alors que c'était tellement compliqué de comprendre ce qu'on me disait. Je voyais bien que ça énervait les gens car, à force, ils ne me parlaient plus. Le psychologue a dit que c'était à cause des médicaments, qu'ils m'endormaient le cerveau, mais qu'ils avaient été obligés de me les prescrire car sinon j'aurais eu trop mal.

— Mal de quoi ? ai-je demandé. Il n'a pas répondu. Je le sais que j'ai fait quelque chose d'horrible. Mais je sais aussi que je suis quelqu'un de bien, alors ça ne doit pas être si grave.

Je vois le docteur Lanar deux fois par semaine à présent, le mercredi et le vendredi. Je voulais arrêter la thérapie de groupe et, à la place, aller à l'atelier de cuisine qui a lieu le jeudi en fin de journée. Le docteur Lanar a réfléchi un instant et, finalement, a insisté pour que je continue la thérapie de groupe, mais uniquement celle du lundi, afin de me permettre d'assister au cours de cuisine. C'est parfait comme ça, je ne verrai plus Baptiste le jeudi. Ça, je ne l'ai pas dit au psy. Rien que pour m'embêter, il m'aurait obligée à continuer à y aller.

Mes rêves sont différents. Je les comprends encore moins qu'avant. Surtout, ils me font peur. Avant, quand je rêvais de sexe, c'était presque toujours merveilleux. Maintenant, je me réveille en sueur au milieu de la nuit et j'ai le ventre noué par la peur. Je tremble. Je vois des hommes dans mes rêves qui m'enlacent, des mains qui me touchent, des souffles dans mon dos, dans mon cou, sur ma peau, partout. Comme la nuit où je me suis réveillée en hurlant, complètement perdue. J'ai peur de me rendormir car j'ai peur de retrouver ces hommes. Les lieux m'effraient également. Il y a des bruits bizarres, comme des cris. Je suis sûre de connaître réellement ces endroits, c'est ça le pire. Mais je ne me rappelle pas. Le psychologue m'a dit que c'était à cause des pilules, que, petit à petit, j'allais retrouver des lambeaux de souvenirs que j'avais oubliés, puis des souvenirs entiers, et enfin tout me rappeler. Mais il faut que je sois patiente et que je me prépare à souffrir.

J'ai peur. Je me demande ce que j'ai caché dans ma mémoire. Je me demande surtout pourquoi j'ai effacé tout ça. Ça ne devait vraiment pas être très joli si je me suis forcée à oublier au point d'en devenir amnésique. Mais je ne changerai pas d'avis. Je veux me souvenir, même si je suis morte de trouille.

13

J'ai des flashs, des morceaux de passé qui remontent. Je me vois sourire, je vois des visages, des gens qui passent derrière mes yeux, dans ma tête. Je me souviens de choses, la radio qui était toujours allumée dans le salon, les légumes dans la corbeille que j'adorais remplir avec toutes les couleurs que je dénichais. Une fois, j'avais même acheté un chou-fleur violet que je trouvais magnifique. Il y avait toujours des tomates, des courgettes, des poivrons, quelques pommes de terre, des blettes si c'était la saison, des aubergines, des radis et des potirons en hiver. C'était mon panier à miracles, là où je puisais mon inspiration pour mes pot-au-feu, mes soupes et mes gratins de légumes. Loïc adorait ma cuisine. La porte d'entrée s'ouvrait, il ôtait son manteau et le suspendait à la patère. Ensuite, invariablement, la curiosité l'attirait dans la cuisine à la recherche du plat qui dégageait la bonne odeur qu'il avait sentie. Il aimait mettre son nez au-dessus des casseroles et humer l'air. J'en riais. Surtout, j'aimais la suite, quand une fois son estomac mis en appétit, il me prenait dans ses bras et m'enlaçait de toutes ses forces en me berçant d'avant en arrière. Il était bien plus grand que moi, ce qui me permettait de poser ma tête sous son menton. J'aimais ça.

J'ai oublié ce que je faisais après. Loïc s'asseyait en face de moi à table, mais peut-être pas. Peut-être était-ce sur le côté ? Et regardait-on les informations à la télé ? Je ne sais plus. Je dois être patiente, je le sais. Les souvenirs me reviendront lentement. Mais j'en ai marre d'attendre, d'être ici et d'avoir à supporter les autres internés. C'est étrange mais depuis que je retrouve la mémoire, je suis moins en colère. Et aussi je dis moins de mal, même plus du tout. Hier, la pleurnicheuse du troisième déambulait dans le couloir. Auparavant, je lui aurais fait un croche-pied, histoire qu'elle pleure pour quelque chose. Mais là, je n'ai rien fait, je suis passée à côté d'elle en la regardant, c'est tout. Bon, d'accord, quand elle m'a regardée à son tour, je lui ai jeté un sourire narquois qui lui a parfaitement fait comprendre à quel point je la méprisais. Mais ça, c'est normal. Faut pas me demander la charité non plus.

Lorcha ne m'écrit plus, ma mère non plus. Je ne me souviens plus si ma mère m'a déjà écrit depuis que je suis ici d'ailleurs. Lorcha, oui. Elle m'a envoyé deux lettres, une toute jolie avec pleins d'auto-collants de fleurs et de chevaux et l'autre avec une photo d'elle et de Pistache, sa chienne. Ma sœur est très belle. Elle devient une femme, elle met des soutiens-gorge à présent. J'espère être sortie d'ici pour son anniversaire. C'est dans deux mois, le 7 juillet. Elle aura quatorze ans. Dire que moi, je vais en avoir vingt-neuf.

Personne ne croyait qu'on était sœurs quand on se promenait ensemble. Il faut dire, avec nos quinze ans d'écart, ce n'était pas vraiment étonnant. Ma mère et mon père se sont séparés quand j'avais cinq ans, ils ne se sont remis ensemble que sept ans plus tard. D'une certaine façon, ma sœur a été le ciment de leur amour retrouvé. Mon père avait eu besoin de mettre les voiles. Il disait que ma mère l'étouffait, ce qui était probablement le cas. Un jour, il est parti pour une mission au Brésil. Un pont à reconstruire, je crois. Puis, le Brésil s'est transformé en Pérou, le Pérou en Bolivie, la Bolivie en Afrique du Sud, et après j'ai oublié. Quand il est revenu, j'avais onze ans. J'ai tout de suite reconnu sa voix, pas son visage cependant. Je me rappelais vaguement de lui ; en fait, c'était surtout une impression, comme un gros nuage avec deux yeux noisette très foncés, des cheveux noirs et une voix grave et profonde. Une voix qui me chantait des comptines. C'est moi qui ai ouvert la porte quand il est revenu. Il tenait une rose à la main. Il m'a dit:

— C'est pour ta maman. J'ai crié :

— Maman, y a un monsieur qui t'apporte une fleur. Aussitôt, j'ai réalisé que c'était mon père. Je me suis jetée dans ses bras.

Ma mère lui en a voulu pendant très longtemps, moi non. Je savais pourquoi il était parti, enfin je l'imaginais. Je me disais que mon père était un savant, un aventurier, un voyageur, quelqu'un qu'on n'attache pas à un poteau.

À l'école, quand on me demandait : « Il fait quoi ton papa ? », je répondais toujours : « Chasseur de trésors ». Il était mon héros et tous mes dessins et mes poèmes étaient pour lui. Il m'a écrit souvent, à ma mère également. Il ne nous a jamais oubliées. Il ne pouvait pas rentrer, c'était tout. Lorcha l'a perdu à l'âge que j'avais quand moi je l'ai retrouvé. Onze ans. Il doit y avoir des âges clés dans la vie. On se complète elle et moi. Tout ce qu'elle connaît d'un père est tout ce qui me manque et vice versa. Je n'ai jamais eu les histoires du soir, les bains avec lui et les premiers après-midi à vélo, elle n'a pas eu les leçons de morale, les premières disputes à la vue d'un nouveau piercing et d'une coloration des cheveux ou les petits copains harcelés de questions et dévisagés des pieds à la tête d'un œil apeuré et jaloux. Surtout, elle n'a pas eu le premier bal de lycée, celui où notre père nous accompagne devant la salle en nous disant à quel point il nous trouve belle et combien il nous aime. Le doux baiser qu'il nous dépose sur la joue à ce moment-là. Non, elle n'a pas eu ça.

C'est tellement étrange. Je me souviens parfaitement de tout ça, de « l'avant Loïc ». Mais après, c'est toujours aussi flou. Comme si mon esprit ne voulait pas que je me souvienne. Je sais que j'ai enfermé tout ça derrière un mur de briques dans mon cerveau. Loïc et tout ce qui s'y rattache. Pourtant, y a des trucs qui restent. Notre mariage, la première fois qu'on a fait l'amour, la première fois que je lui ai dit : « je t'aime ». Et le reste alors ?

14

J'ai mal. Je n'arrête pas de pleurer. C'est un truc qui descend dans mon corps, comme une pierre. La sensation d'être lourde. Puis ça fait mal aux yeux, j'arrive plus à les garder ouverts. Je sens mon corps partir, la chambre devenir floue. La salle de bains disparaître. J'ai allumé une bougie. La flamme tremble. Elle danse dans tous les sens, comme une demoiselle qui séduit un homme pour la première fois. C'est joli. On dirait un ballet, rien que pour moi. Je vois des choses qui me font peur également. Je veux arrêter les pilules. Je sais que c'est grâce à elles que petit à petit ma mémoire revient, mais justement, ça fait trop mal de se souvenir. Je fais sans arrêt des cauchemars, je me réveille en sueur et comme je ne suis plus attachée, je tombe de mon lit et je me blesse. J'ai des bleus plein les bras. Je veux qu'on me vide le cerveau pour que ça cesse de faire mal. Mal, mal, encore, comme des cris dans ma tête, des voix qui hurlent. Je me bouche les oreilles, mais ça hurle plus fort à l'intérieur. Elles souffrent, je le sens. Elles appellent, elles sont tristes. Moi, j'étouffe, j'étouffe.

Ils m'ont donné un calmant et ils m'ont allongée

sur mon lit. Je ne vois plus la bougie mais je vois ses ombres. Elle danse toujours. J'ai les yeux qui se ferment. Ça tourne là-dedans. Je ne suis plus là.

Il m'avait dit qu'un collègue de travail viendrait dîner à la maison et que ce dîner était important pour sa carrière. Il fallait donc que tout soit parfait. J'avais passé la matinée à faire le ménage dans toutes les pièces de la maison pour que tout soit propre. J'avais poursuivi chaque grain de poussière, chaque objet mal disposé, chaque odeur un peu étrange. J'avais tout rangé, tout illuminé, tout nettoyé. La maison était magnifique. Ensuite, j'étais allée faire des courses. Je n'avais pas dormi de la nuit. Les recettes de cuisine avaient défilé dans ma tête jusqu'au petit jour. Je voulais être sûre de trouver le plat idéal.

— Il aime tout, ton collègue ? avais-je demandé cent fois à mon mari.
— Oui.
— Le canard, le poisson, la dinde, les champignons ?
— Oui, oui, oui et encore oui.
— Le mélange sucré-salé ?
— Oui, Margot, alors fais ce que tu veux !

Je voulais être à la hauteur. Loïc aimait mes poêlées de légumes aux amandes et au safran. Du poisson serait parfait avec cela, du saumon en papillote avec du thym et du romarin accompagné d'une sauce à la crème fraîche, ainsi qu'un plat de tagliatelles aux œufs d'esturgeon. On serait quatre, notre couple et le leur. Il fallait prévoir en quantités suffisantes. J'avais également fait un crumble aux pommes en dessert (Loïc en raffolait) et j'avais acheté de la glace à la vanille pour aller avec, ainsi que du chocolat noir Côte d'Or aux noisettes, le meilleur. J'avais ma machine à café Tassimo (ma sauveuse) et un millier de sortes de thés. Il ne me manquait rien.

Ils sont arrivés un peu après vingt heures. Je venais de mettre le crumble au four et mes plats de résistance attendaient sagement dans leurs récipients, au four aussi, un autre, celui que j'appelais le four de l'enfer tellement il était grand. Le salaire de Loïc nous permettait ces petits extras. Donc, tout était prêt, les bougies étaient allumées et les fleurs fraîches étaient disposées dans deux bouquets de part et d'autre de la grande table du salon. Un plateau de biscuits à apéritif ainsi que la desserte d'alcools attendaient sagement tout le monde au petit salon.

Il avait le même âge que Loïc, peut-être un peu moins, je n'ai pas osé lui demander. Elle, en tout cas, était beaucoup plus jeune que lui. Coïncidence, c'était également mon cas. Loïc était plus âgé que moi de neuf ans. À elle, je lui donnais de même une bonne dizaine d'années en moins. Cela m'a immédiatement rassurée. J'allais passer une agréable soirée puisqu'on aurait forcément des tas de choses à se dire. Ils s'appelaient Antoine et Mélissa Balreaux et étaient mariés depuis un peu plus d'un an. Mélissa attendait un enfant, mais cela ne se voyait pas encore, hormis sur son visage, où un sourire doux et serein était perpétuellement dessiné. Antoine était nouveau dans la boîte. C'est Loïc qui l'avait engagé après avoir remercié son prédécesseur, Guillaume Dubois, incompétent selon lui. J'avais toujours trouvé Guillaume très sympathique. Cela m'avait donc fait de la peine pour lui quand je l'avais appris. Mais, je n'étais pas la présidente, je ne connaissais rien à ces choses-là, comme ne manquait pas de me le rappeler mon mari, donc je n'avais rien à dire sur ce licenciement. Si Loïc l'avait mis à la porte, c'était forcément parce qu'il avait eu de bonnes raisons de le faire. Il n'y avait rien d'autre à ajouter. Antoine avait une poignée de main franche et directe. Cela m'a immédiatement plu. Surtout, il regardait les gens droit dans les yeux quand il leur parlait. Cela dénotait un caractère fort et honnête. Mélissa avait les mains douces de la jeunesse et des ongles parfaitement manucurés. La taille fine également, des yeux de biche fardés avec juste ce qu'il fallait de noir, un pantalon noir, élégant, un cache-cœur gris clair et pour tout bijou une perle verte en collier. Des talons aiguilles noirs et des bas en dentelle également, d'après ce que j'avais pu en juger quand elle avait croisé les jambes. L'épouse parfaite. Belle, douce, gentille et sûrement docile. Je me suis aussitôt demandé si elle était douée au lit, si elle le prenait dans sa bouche comme une bonne épouse s'oblige à le faire ou si elle le suçait passionnément comme une femme qui aime ça. Sa génération, la mienne, était celle de la transition. Femmes encore soumises comme nos mères l'avaient été, pas encore libres comme l'était la nouvelle génération. À moitié revendicatrices, à moitié dominées, toujours un peu perdues… Je n'ai jamais abordé le sujet de ma vie sexuelle avec ma mère. Comme elle ne manquait pas de me le rappeler : « Tout ce qui se passe entre un mari et sa femme ne regarde que le mari et la femme en question. » J'aurais pourtant tant voulu en parler avec elle, surtout après cette soirée.

On a pris l'apéro comme de vieux amis. Antoine et Loïc riaient de blagues du bureau auxquelles Mélissa et moi répondions par des sourires plus feints qu'autre chose. J'admirais sa politesse envers mon mari et son amour envers le sien.

Elle avait été vendeuse dans un magasin de luxe place Vendôme avant de rencontrer Antoine. Un jour, il était venu se faire tailler un costume dans sa boutique. C'était elle qui avait pris ses mesures. Le haut d'abord, la largeur des épaules, la taille du buste, l'encolure, ensuite la hauteur de la jambe et le pli sur le bas du pantalon. Alors qu'elle s'était accroupie à ses pieds, Antoine s'était agenouillé à son tour, lui avait attrapé le menton et lui avait relevé la tête. Le regard qu'il lui avait lancé à ce moment-là était sans équivoque. Il l'avait embrassée sur-le-champ, avait attrapé et jeté son mètre et son carnet de notes sans lui demander son avis et l'avait littéralement enlevée. Ils s'étaient mariés six mois après et deux mois plus tard, elle était enceinte.

— C'est vrai que tout s'est passé très vite, m'a confessé Mélissa, mais on a eu tous les deux le coup de foudre l'un pour l'autre. Pourquoi attendre alors, puisqu'on savait ?

Le repas s'est déroulé gaiement. Les hommes parlaient boulot, golf et soirées cocktails tandis que Mélissa et moi parlions du bonheur d'être femme au

71

foyer et de ne plus avoir à se réveiller tous les matins à la même heure. Nous conversions également de la hausse des prix des produits alimentaires et de tout ce qu'il faut acheter auquel on ne pense pas quand on attend un enfant. Elle avait la parole vive et facile. Je riais de ses remarques ironiques sur toutes les bêtises que l'on peut vendre aux futures mamans. Récemment, on lui avait proposé un biberon qui change de couleur suivant l'heure du jour pour savoir à quel repas le bébé en est :

— Faut-il vraiment être une mauvaise mère pour avoir besoin de ça.

Je trouvais le concept étrange, en effet.

Mélissa et moi avons débarrassé la table puis nous avons sorti les desserts pendant que les hommes sont allés fumer au-dehors. Loïc voulait montrer à Antoine sa nouvelle cabane à outils (qui entre nous me servait plus à moi qu'à lui). Ils ont promis de revenir avant le lendemain et de ne pas se couper un bras à vouloir jouer les hommes forts. Toutefois, quinze minutes sont passées, ensuite vingt, puis vingt-cinq. Mélissa avait besoin de passer à la salle de bains. Je l'ai accompagnée dans le couloir et après je suis allée voir ce que faisaient nos maris.

J'ai traversé le hall, ouvert la porte de derrière qui donnait sur la terrasse, je l'ai parcourue tout en replaçant une chaise au passage, j'ai descendu les marches et je suis arrivée sur le gazon, vert tendre comme sur les photographies des publicités vantant les mérites de tel ou tel produit. (Loïc y tenait absolument ; pour ma part, je trouvais cela totalement ridicule.) Ensuite, j'ai marché d'un pas insouciant jusqu'à la cabane au fond du jardin.

J'aurais dû passer par la porte d'entrée et frapper comme il se doit du revers de la main avant d'entrer. Alors je n'aurais rien vu. Je n'aurais jamais su. Parce que la porte aurait été fermée à clé et qu'ils auraient eu le temps de se rhabiller. Malheureusement, cela ne s'est pas passé ainsi… Tout l'après-midi, le vent avait soufflé violemment, si bien qu'un de mes pots de crocus avait été renversé et son terreau répandu comme une cervelle évidée. J'ai donc contourné la cabane pour m'en occuper. Parvenue à sa hauteur, je me suis accroupie, j'ai rempoté la fleur puis, machi-nalement, je me suis redressée et j'ai jeté un coup d'œil dans la cabane à travers la petite fenêtre d'angle. Par simple réflexe. Par pur réflexe. Parce que je ne pouvais pas savoir, même pas imaginer cela. Après tout, ce n'était pas sa secrétaire qu'il avait emmenée dans la cabane du fond mais son employé, son second, un collègue, un homme ! Quelle femme aurait eu des doutes quant à cette relation de travail ?

Une seconde m'a suffi pour comprendre, une seconde pour que mon cœur cesse de battre et que mon sang se liquéfie. Une seconde pour mourir comme harponnée sur la banquise par une meute de chasseurs affamés, en pleine course, en pleine vie, en plein délire.

C'était Loïc qui était debout. Loïc qui faisait l'homme. Au moins ne jouait-il pas le rôle de la femme soumise. Je n'aurais pas pu le supporter.

Jamais. Je n'étais pas assez forte. Dans ma folie, cela lui conférait toujours un statut de mâle dominant et, quelque part, cela le sauvait à mes yeux. Antoine avait posé ses mains sur l'établi pour se tenir. Je regardais ses mains, ses doigts surtout, se crisper sous la jouissance du moment afin de se retenir de hurler de plaisir. Ses phalanges agrippées au bois comme si sa vie en dépendait. Loïc avançait et reculait en lui avec une force que je ne lui connaissais pas. Il avait la tête rejetée en arrière, les yeux clos et la mâchoire serrée, les fesses musclées et tendues vers l'avant. Ses fesses que j'aimais tant, si belles, comme un objet d'art qu'on aurait eu envie de caresser. Je me souviens de les avoir regardées longuement avec l'envie plus forte que tout de les embrasser, de les tirer de là, de cet enfer. Elles n'avaient rien à y faire. C'est à ce moment-là que les larmes sont venues, quelque chose de puissant qui est remonté de mes entrailles et m'a déchiré le cœur en morceaux irrécupérables. J'ai immédiatement pensé que je n'étais pas Antoine, que je ne pourrais jamais être Antoine. Qu'il ne m'avait jamais fait l'amour comme cela et qu'il ne me le ferait jamais ainsi. Il ne fermait pas les yeux avec moi, même quand il me prenait par-derrière. Je savais qu'il ne les fermait pas car il n'y avait pas cette tension entre nos corps que je voyais entre les leurs. Avec Antoine, il aimait ça, il jouissait à s'en faire exploser les veines, il n'y avait aucun doute, et c'était cela qui me tuait cruellement d'un couteau planté en plein cœur.

Je me suis assise à côté de mon crocus. J'ai pleuré, doucement, faiblement, pour ne pas faire couler mon rimmel. J'étais et je demeurais la maîtresse de maison après tout. La réputation de mon couple était en jeu et Mélissa m'attendait dans le salon. Je devais faire face. Car j'étais sûre qu'elle ne savait pas pour son mari, qu'elle n'en avait même pas la plus petite idée. Comment l'aurait-elle su quand moi-même je ne m'étais doutée de rien ? Quand moi-même je n'avais strictement rien vu ?

Comment avait-il fait pour me cacher cela si bien ?

J'ai vomi, un relent qui est venu naturellement et que je n'ai pas pu contrôler. Après, je me suis essuyé la bouche avec l'intérieur de ma manche de chemise. Je ne pouvais pas rentrer comme ça, je ne pouvais pas frapper à la cabane non plus car c'était trop tard, je ne pouvais plus faire semblant. Il me fallait trouver une excuse à mes pleurs. Déterminée, je suis retournée sur la terrasse, décidée à en tomber afin de me casser la jambe. Sans réfléchir, j'ai sauté d'un bond les six marches qui descendaient jusqu'à la pelouse tout en fermant les yeux. J'étais en talons aiguilles. La réception a été on ne peut plus doulou-reuse. Ma cheville droite s'est tordue sous le choc, ce qui m'a arraché un cri de douleur. Les larmes sont venues immédiatement, fortes et coléreuses. J'avais le droit de pleurer à présent, j'avais une excuse.

Quelques secondes plus tard, la porte du cabanon s'est ouverte et Loïc et Antoine en sont sortis. J'étais assise par terre dans l'herbe, près de la terrasse, et je me tenais douloureusement la cheville. Je n'ai pas bougé en les voyant ni même émis le moindre son.

75

Au contraire, j'ai arrêté de pleurer. Loïc s'est précipité vers moi. Il était véritablement inquiet, je le voyais dans ses yeux. Il s'est accroupi à mes côtés et a aussitôt porté sa main à ma cheville afin de constater l'étendue des dégâts. Puis il a relevé la tête et m'a regardée. Mon regard, froid et profondément blessé, ne lui a rien caché de ce que j'avais vu. Un regard sans détour, mes yeux noirs plongés dans les siens, criant leur douleur et leur détresse, sans sourire, sans parler. Immédiatement, il a compris que je les avais vus et que je m'étais cassé la cheville pour masquer ma découverte. Loïc et moi sommes restés ainsi à nous regarder pendant quelques secondes, sans parler, jusqu'à ce qu'Antoine arrive à notre hauteur et nous demande ce qui s'était passé.

— Elle a manqué une marche, a aussitôt répondu Loïc.

Mélissa a poussé la porte de la véranda à ce moment-là.

— Margot a manqué une marche, a répété Antoine.

Loïc m'a soulevée et m'a portée dans la salle de bains. Antoine et Mélissa sont restés un instant sans bouger, indécis, puis, sur la demande explicite de mon mari de rentrer chez eux, ils sont partis en déplorant sincèrement ce qui m'arrivait. Loïc les a raccompagnés jusqu'à leur voiture en leur promettant de garder au frais pour la prochaine fois le gâteau qu'ils avaient apporté. De la fenêtre, je les ai observés s'en aller. Surtout, j'ai scruté mon mari. Ses fesses. La douleur est immédiatement revenue, plus forte et plus lancinante encore.

Loïc est remonté avec un sac en plastique empli

de glaçons dans la main pour soulager ma cheville gonflée. Il a enlevé mon pantalon, est allé chercher une serviette dans le placard puis il l'a enroulée autour du sac et il a déposé le tout sur mon pied. J'ai serré les dents de douleur. Il a tenu le sac un long moment. Pendant tout ce temps, je l'ai regardé droit dans les yeux afin de le faire avouer mais il a soutenu mon regard sans détour. Lentement, mes yeux se sont embués. Loïc s'est penché sur moi, a attrapé une larme qui s'échappait de mon œil et l'a essuyée de son pouce. Ce même pouce qui est resté un instant sur ma joue, comme une caresse hésitante. Je crois qu'alors j'ai souri. Je ne suis pas sûre. On a sonné à la porte d'entrée. Loïc a posé le sac de glaçons sur le lavabo. Puis il s'est retourné vers moi, toujours sans me parler. Il m'a embrassée, ensuite il est sorti. J'ai éclaté en sanglots.

15

Ils m'ont bourrée de sédatifs, gavée comme une oie jusqu'au cul. J'ai hurlé, je me suis débattue, j'ai même mordu l'infirmier de garde. Je crois qu'il s'est retenu de me gifler. Dommage, j'aurais tellement voulu. Ça m'aurait donné une bonne raison de me débattre encore plus fort. Mais ce con s'est arrêté alors qu'il en crevait d'envie, je le voyais bien. Pourquoi faut-il toujours que les gens soient trop bien élevés ? J'ai continué de me débattre : je donnais des coups de pied à tout ce que je pouvais, j'essayais de griffer tout ce qui passait à portée de main.

— Connards, hurlais-je, bande d'enfoirés, sales cons, allez tous vous faire foutre, allez tous crever en enfer et vous faire mettre par les anges, encore et encore jusqu'à avoir le cul en sang. Merde !

Je voulais pleurer aussi mais je ne pouvais pas car c'était la colère qui dirigeait mon corps et non ma peine. C'était le désir de tout détruire et de faire mal. C'est à ce moment-là que le docteur Lanar est arrivé. Il a immédiatement ordonné aux autres de reculer. Ils m'ont lâchée sur-le-champ et je me suis effondrée. Je suis restée bête un instant, je ne savais plus quoi faire.

Le psychologue s'est agenouillé à côté de moi. Il avait les yeux tristes, je le voyais bien.

— Je sais que ça fait mal, Margot, mais hurler et dire des horreurs n'y changera rien.

J'ai tapé des poings dans le sol, j'ai cogné les murs et j'ai étouffé mes cris dans ma veste. Les infirmiers ont voulu m'attraper à nouveau, mais le docteur Lanar leur a fait signe de ne pas bouger. Il voulait que je me calme toute seule, j'avais compris.

— Je sais, Margot, je sais, a-t-il répété.

J'ai hurlé et j'ai pleuré plus fort, j'ai frappé encore contre les murs, mais mes coups sont devenus de plus en plus faibles, jusqu'à ce que je m'écroule moi-même comme une loque sur le sol et que je retrouve mon calme. Les infirmiers sont restés là, à me regarder, puis le psychologue leur a fait signe de m'aider à me relever et de me reconduire à ma chambre. Ensuite, il a ordonné qu'on me donne un sédatif Je n'ai rien dit. J'avais perdu ma voix quelque part dans ce couloir, tout comme la faculté de penser. Ils m'ont couchée comme un enfant, comme la débile que j'étais il n'y a pas si longtemps que cela et qu'il fallait attacher. Puis ils m'ont tendu le cachet avec un verre d'eau. J'ai avalé sans faire d'histoires et je me suis roulée en boule sur le côté. J'ai attendu que ça fasse effet.

16

Ils me laissent tranquille depuis hier soir. Ils ont compris. De toute façon, il n'y a pas besoin d'avoir fait fac de psycho pour saisir qu'un truc comme ça qui remonte à la surface fait des dégâts. J'ai demandé qu'on me laisse seule aujourd'hui. L'infirmière m'a apporté mon déjeuner sur un plateau. Je n'y ai pas touché.

Je suis assise par terre, adossée au pied du lit, le regard fixé depuis un bon moment déjà sur le mur, sans le voir. Je pense. Je repense. Je n'ai pas pris mes médicaments ce matin, je n'en ai pas besoin. Je n'ai jamais été aussi lucide.

J'avais oublié, réellement. Je ne me rappelais plus cette scène, je l'avais effacée de ma mémoire. Le docteur Lanar m'a demandé si je voulais qu'on en discute en tête à tête dans la soirée.

— Demain, ai-je répondu. Pour le moment je ne suis pas encore prête à parler de tout ça et, surtout, pas prête à l'affronter.

Les images me reviennent petit à petit, les odeurs, les sons, les voix, les cris, les gestes…

Le docteur a dit que je m'étais foulé la cheville et que j'en aurais pour un bon mois d'immobilisation.

— J'espère que vous n'avez pas prévu de courir le marathon de Paris le week-end prochain, a-t-il ajouté en plaisantant.

Je suis restée de marbre. Je n'avais pas vraiment envie de rire. Puis je me fichais de lui ou de ce qu'il pensait de moi. Je me fichais de tout à présent. Plus de paraître, plus de conventions, plus de bonnes manières, rien. La seule image qui tournait en boucle dans ma tête était celle du phallus de mon mari qui entrait, sortait et entrait encore dans le rectum d'Antoine. Il n'y avait que ça.

Le docteur est reparti. Loïc est resté un long moment à discuter avec lui en bas. Ou peut-être réfléchissait-il de son côté à la situation ? Je ne sais pas. Quoi qu'il en soit, il n'est remonté que bien plus tard, une tasse de thé à la main.

— Je vais à la pharmacie chercher l'élastoplaste et la crème prescrits par le médecin, m'a-t-il déclaré.

J'ai hoché la tête. Il est redescendu et a quitté la maison. Dès que j'ai été sûre qu'il était parti, j'ai posé ma tasse sur le sol et je me suis appuyée sur le lit pour me mettre debout. Ma cheville m'a arraché une grimace de douleur, mais pas un son n'est sorti de ma bouche. Descendre l'escalier fut un véritable cauchemar. Toutefois, le but de la manœuvre me motivait. J'ai rampé plus que marché jusqu'au salon où je me suis écroulée dans le canapé, tout près de la desserte d'alcool. Il n'y avait plus de verre propre. J'ai saisi celui qui se trouvait sur la table basse, ai vidé son contenu dans la cheminée (un reste de jus d'orange apparemment) et je me suis servi un grand verre de vodka. Il n'a pas fait long feu. Je m'en suis servi un second instantanément. Déjà, je me sentais mieux, plus légère, la respiration plus souple, le corps moins douloureux. Apaisée, je me suis enfoncée dans les coussins du canapé afin de réfléchir. Je n'y arrivais pas. La scène défilait encore et encore dans ma tête et aucune pensée ne la remplaçait. Pire, quand j'essayais d'activer mon cerveau, les soupirs de Loïc résonnaient plus fortement encore, jusqu'à me secouer le corps de frissons glacés. Loïc était mon mari depuis deux ans. Deux ans que nous avions prononcé les vœux de fidélité et d'amour jusqu'à ce que la mort nous sépare et bla-bla-bla. Trois ans et deux mois depuis le jour où j'étais tombée sous son charme quand il m'avait offert ce tableau. Trois ans et deux mois moins un jour, donc, depuis que nous avions fait l'amour pour la première fois. Était-il déjà homosexuel à l'époque ? L'était-il maintenant, d'ailleurs, ou n'était-ce qu'une « expérience » ? Mais quel homme normal expérimenterait cela à trente-quatre ans ? C'était absurde. On ne faisait pas son coming-out à cet âge-là. Ou peut-être que si ? Qu'est-ce que j'en savais, après tout ? Alors vint la pire des questions : était-ce ma faute ? Était-ce à cause de moi qu'il était devenu homosexuel ? Dans ce cas, pourquoi continuait-il à me faire l'amour avec passion et tendresse ?

Je n'ai pas entendu le bruit de sa voiture dans l'allée ni ne l'ai entendu rentrer. Il a posé une main sur mon épaule et j'ai sursauté, renversant la moitié de mon verre sur mon ventre. Loïc n'a pas été surpris de me trouver au salon en train de boire. Je n'étais pas portée sur l'alcool mais qui n'aurait pas eu un tel réflexe après une pareille découverte ? Il m'a pris le verre des mains, l'a posé sur la table, ensuite il est allé dans la cuisine chercher un torchon et du produit nettoyant, il a essuyé consciencieusement le liquide qui avait dégouliné sur le canapé, a aspergé ce dernier de produit puis il a posé le tout par terre. Après, il m'a regardée. C'était irréel. C'était moi, c'était lui, mais ce n'était plus nous. Il a frotté ma joue gauche de son index et de son majeur réunis. Sûrement que mon rimmel avait coulé. Je m'en fichais. Les battements de mon cœur se sont accélérés dans ma poitrine. La peur de ses mots mélangée à l'excitation de ce que j'avais vu, augmentée par le sentiment de l'intemporalité de l'instant… Loïc a ressenti mon trouble et ses yeux se sont embrasés d'un noir dansant. Aussitôt, il s'est approché de moi, son souffle atteignant chaudement mon visage. Cet effluve a enflammé mon corps pour de bon. Je mouillais, je le sentais. J'étais à la fois terrorisée et dévorée de désir pour lui, pour cet homme que j'avais épousé, que j'aimais, que je croyais connaître et qui à présent m'apparaissait si mystérieux et si dangereux. J'avais oublié ma cheville, lui aussi manifestement.

Il ne m'a pas demandé mon avis. Brusquement et sans un mot, il m'a retournée contre le canapé, a saisi ma jupe et l'a arrachée d'un coup sec. Ensuite, il a fait voler mon tanga, ne me laissant comme artifice que le bas gauche que je traînais seul sur moi depuis que le droit avait été retiré pour l'inspection de ma cheville. Il a défait sa ceinture et a déboutonné son pantalon. J'ai voulu me retourner pour le regarder faire mais il m'en a empêchée. À la place, il m'a saisi les cheveux de sa main libre et m'a plongé la tête dans les coussins. Ensuite, il m'a pénétrée violemment par-derrière. J'ai hurlé de douleur sous la promptitude du choc mais il m'a maintenu la tête plus fortement dans le tissu du canapé que j'ai mordu à pleine bouche. Il est ressorti aussitôt pour me reprendre entièrement, cette fois-ci en s'appuyant sur ses mains enfoncées dans la peau de mes fesses. J'ai cambré les reins pour mieux l'accueillir et j'ai relevé mes fesses. Ses doigts les ont lacérées avec rage. J'ai martelé le coussin de mes poings pour tenir le coup. Il m'a saisie à nouveau par les cheveux et m'a amenée jusqu'à lui, son sexe toujours coincé dans mon anus. Il a plaqué mon dos contre son torse et m'a mordu l'épaule avant de me forcer à le regarder et de m'embrasser sauvagement le bord de la lèvre supérieure. J'ai soupiré de jouissance contre sa bouche tandis qu'il me tirait les cheveux plus bas encore afin de cambrer davantage mon dos. Je n'étais plus qu'à lui, il le savait. J'avais mal de partout mais je voulais plus, plus loin, plus haut, plus profond. Il l'a senti et a forcé le passage une dernière fois de toute la force dont il était capable, m'arrachant un cri de souffrance qu'il a aussitôt étouffé en enfonçant ses doigts dans ma bouche. J'aurais voulu le mordre, je ne l'ai pas fait. Il a joui au même instant, une secousse bien placée, une seconde plus faible, avant de me libérer de son emprise et de me laisser

haletante sur le canapé, le corps parcouru de soubresauts et le cul trempé.

Je suis restée là, sans bouger, essoufflée et la tête
vidée. Il m'a relevée sans un mot et a essuyé mes
cuisses et mes fesses avec le torchon avant de m'asseoir sur le canapé. Ensuite, il est allé dans la cuisine
chercher de quoi me soigner. De retour à mes côtés
et toujours sans un mot, il m'a massé la cheville avec
la crème puis il m'a bandé le pied. Après, il a coupé
la bande et il a fourré le tout dans le sac qu'il est
retourné ranger dans la cuisine. J'ai attendu qu'il
revienne mais il n'est pas revenu.
— Je vais te faire couler un bain, a-t-il crié depuis
la cuisine.
Je n'arrivais plus à penser. Je me suis resservi un
verre.

17

Je cours. Les couloirs qui défilent, les gens qui sortent de leur chambre, surpris d'entendre mes pas, les néons qui se succèdent les uns après les autres, éclairant mon visage d'une douce folie. Vêtue de ma seule robe de chambre, les pieds nus, les cheveux en bataille et les mains rougies d'avoir été trop griffées ces dernières heures, je cours comme une furie. Dans une demi-heure, ce sera l'extinction des feux. Je veux être partie avant, je veux m'être enfuie avant. Ne pas rester ici une minute de plus. Mais je ne sais pas où je cours ni où je vais. Je fuis pour laisser ma douleur derrière moi, j'accélère pour la semer et ne plus jamais la retrouver, j'erre sans but et sans plan, j'évite simplement les salles communes. Il faut que je monte à l'étage, plus haut, encore plus haut, aux Alzheimers. Il n'y aura personne là-haut puisqu'ils sont tous enfermés dans leur chambre.

Baptiste est venu me voir dans ma chambre cet après-midi. Il a frappé à ma porte comme un bon voisin attentionné qui viendrait prendre le thé en toute amitié et moi, pauvre idiote que je suis, je lui ai ouvert. J'ai tout de suite remarqué cet horrible sourire qu'il avait collé au visage, cette grimace abjecte, mélange de perfidie et de démence. Le diable en personne. Il a fait le tour de ma chambre en commentant l'absence de décoration et l'odeur nauséabonde qui émanait de ma salle de bains. Aussitôt, j'ai voulu le flanquer à la porte mais il s'est alors retourné et m'a demandé négligemment si je savais pourquoi j'étais là. Coup de couteau en plein cœur. Il savait. Il l'avait découvert. C'était pour ça qu'il était venu me voir. Il l'avait entendu et, crânement, il me narguait de sa science pour laquelle, il s'en doutait, je me damnerais. J'ai feint :

— Oui, je sais, et alors ? En quoi ça te regarde ?

Baptiste a affiché un rictus on ne peut plus méprisant sur son visage de macaque. Il jubilait.

— Non, tu ne sais pas, Margot. Sinon, tu ne me répondrais pas comme ça. Tu aurais peur. Tu aurais la trouille.

— Va-t-en, Baptiste, j'ai pas que ça à faire.

— C'est sûr qu'en prison, tu seras débordée de travail.

Je me suis tétanisée sur place.

— Je le savais, a-t-il hurlé de joie, je le savais que tu ne savais pas !

— Casse-toi, Baptiste. Tu racontes que des conneries.

— Ah ouais ? Pourquoi alors les toubibs chuchotaient en en parlant dans la salle de repos ?

— Comment t'as pu entendre ? C'est interdit d'aller là-bas. C'est que pour les infirmiers.

— Je suis peut-être fou, Margot, mais pas débile !
Je sais comment me faufiler là où on n'a pas le droit
d'aller.

— Je te crois pas.

— Ah ouais ? Tu me crois pas quand je te dis que
c'est même ton cher docteur Lanar qui le racontait
aux autres ?

— Non !

La rage me piquait les yeux.

— C'est bête alors. Parce qu'ils avaient l'air de
drôlement se marrer en parlant de toi, là-dedans.
Comme quoi tu devais vraiment être schizo pour
avoir buté l'autre.

— Quel autre ?

Baptiste était aux anges.

— Mais enfin, Margot, tu le sais bien. La personne
que tu as tuée…

— Non, j'ai tué personne ! C'est pas vrai !

— Ah ouais ? T'as pas l'eau du lavabo qui coule
rouge quand tu te laves les mains ? Meurtrière !

— Va-t-en ! Va-t-en !

J'ai poussé Baptiste de toute la force dont j'étais
capable et j'ai refermé la porte derrière lui. Il mentait.
Je n'avais tué personne. Ce n'était pas possible. J'étais
quelqu'un de bien. J'étais une bonne fille et une
bonne épouse. Baptiste s'était trompé. Le docteur
Lanar ne parlait pas de moi en disant cela. Il parlait
d'une autre personne. Ce n'était pas moi. Je n'étais
pas une meurtrière.

J'ai emprunté l'escalier de secours. Troisième
étage, quatrième, cinquième. Je fatigue, j'ai le cœur

qui bat trop vite dans ma poitrine. Je m'arrête en
haut des marches sur le palier et je jette un coup
d'œil par le petit hublot au milieu de la porte. Le
couloir est désert. Je m'y engouffre et je cours
jusqu'aux toilettes du fond. Il n'y a personne.
Harassée, je m'enferme dans une des cabines et je
m'écroule de tout mon long sur le sol. C'est seulement là que les pleurs viennent, lourds, profonds,
déchirants. Venus du tréfonds de mon être, ils m'em-
palent le corps dans un supplice vain. Écartelée,
anéantie, morte, je ne suis plus rien qu'un tas de
chair et d'os dans un vêtement trop grand et sale.

Baptiste ment. Je n'ai tué personne. Il ne supporte
pas de ne plus me voir le jeudi à la thérapie de
groupe, alors il a trouvé n'importe quel prétexte
pour me rendre visite. Et, si possible, le pire de tous.
C'est cela. Baptiste est amoureux de moi et il invente
des mensonges horribles pour m'approcher. Il faut
que je lui dise qu'il ne me plaît pas du tout. Mais
alors vraiment pas. D'abord, parce qu'il est méchant
et je n'aime pas les hommes méchants. Ensuite, parce
que jamais je ne me verrais faire l'amour avec lui.
Son ventre déborde de son pantalon quand il serre
trop fort sa ceinture. C'est répugnant. Puis il y a ces
poils qui sortent toujours de son nez. On dirait un
arbre en fleurs dont les branches poussent démesu-
rément de toutes parts sans se rendre compte
qu'elles sont ridicules ! Jamais je ne coucherais avec
lui. Jamais.

Mais si ce n'était pas ça ? S'il avait réellement
entendu le docteur Lanar dire que j'avais tué
quelqu'un ? Si j'étais véritablement un assassin ? Ce

90

n'est pas possible. Je ne ferais pas de mal à une mouche. Mais si… ?

J'ai peur. Baptiste n'aurait jamais inventé un mensonge pareil. Non. Même s'il est le plus ignoble des êtres qu'il m'ait été donné de rencontrer, jamais il n'inventerait une telle histoire. De plus, son visage rayonnait d'un tel plaisir sadique que ses paroles ne pouvaient pas être fausses.

J'ai tué quelqu'un. C'est pour ça que je suis devenue amnésique. J'ai tué quelqu'un. Mais qui ? Et pourquoi ? Non, c'est stupide, je n'ai tué personne. Ou alors, je ne l'ai pas fait exprès. Peut-être que cette personne a glissé du haut des marches alors qu'on se disputait et qu'elle a dévalé l'escalier dans sa chute, se fracturant net le cou une fois arrivée en bas ? Je n'y suis donc pour rien. je ne l'ai pas tuée. Elle est morte toute seule. Mais qui est tombé dans les marches ? Une amie qui serait passée me voir ? Le facteur en me livrant un colis ? Ma mère ? Non, elle est toujours vivante, Lorcha m'a donné de ses nouvelles pas plus tard que la semaine dernière. Loïc ? Mon Dieu, et si j'avais tué mon mari ? L'homme que j'aime ? Après tout, il n'est jamais venu me rendre visite et je n'ai reçu aucune lettre de sa part non plus. Si jamais c'était lui ? Et s'il n'était pas tombé ? Si je l'avais vraiment tué ? Mais pourquoi ? À cause de son secret ? À cause de ce que j'avais découvert ?

La porte s'est ouverte d'un coup et je n'ai pas eu le temps de réagir. Avant même que j'aie pu me saisir du premier truc que je trouvais pour me défendre, deux infirmiers étaient sur moi, l'un m'attrapant les bras d'une poigne ferme tandis que l'autre sortait une grosse aiguille de sa blouse. J'ai hurlé que je n'en voulais pas, que j'allais bien, que j'avais juste eu besoin d'être seule. Je n'avais fait de mal à personne après tout, j'avais simplement couru dans les couloirs pour aller me cacher loin de tous. Ils ne m'ont pas écoutée pour autant et la seringue a été plantée douloureusement dans le pli intérieur de mon bras gauche. Il me restait moins de trente secondes de lucidité, je le savais. Trente secondes pour revoir Loïc penché au-dessus de moi me faisant l'amour, trente secondes pour me rappeler son rire toutes les fois que j'essayais de repasser ses fichues chemises avec ses maudits boutons, trente secondes pour entendre sa voix me murmurer : « Je t'aime » au creux de mon oreille alors qu'on était aux Buttes-Chaumont, côte à côte, allongés dans l'herbe. Puis la porte de mon esprit s'est refermée et j'ai sombré dans le noir.

18

Je l'aimais, je l'avais choisi, je l'avais épousé, je m'en étais remise à lui. Loïc n'était pas mon premier copain ni même le premier qui me faisait l'amour, loin de là. J'étais une femme de mon époque. J'avais eu quatre ou cinq aventures sérieuses avant lui, quatre ou cinq hommes. Mais aucun que je n'avais aimé comme je l'aimais lui. C'était lui qui m'avait révélée, lui qui m'avait appris à découvrir mon corps, lui également qui m'avait donné mon premier orgasme pur et incontrôlable, à la frontière de la transcendance mystique de la chair. Combien de femmes se connaissent-elles réellement ? Combien connaissent-elles leur corps au point de savoir quand elles jouissent et comment jouir ? Combien sont-elles à avoir déjà eu un véritable orgasme ? Je faisais partie de la première génération de femmes à être libres de leur chair et libres d'apprendre à s'en servir. Même si la masturbation féminine et l'orgasme étaient encore des sujets tabous, les magazines en parlaient, les femmes posaient des questions, elles regardaient même des films pornographiques. Pourtant, combien osaient sauter le pas et réellement passer à l'acte ? Beaucoup de femmes faisaient l'amour, la plupart simulaient. Ces femmes croyaient jouir alors qu'elles ne connaissaient que la partie émergée de l'iceberg. Si seulement elles avaient osé s'aventurer dans les profondeurs de leur corps, partir à la découverte de leurs parties intimes et apprendre à se caresser, apprendre à reconnaître les bruits, les goûts, les odeurs, ce qui les aurait fait décoller, si seulement elles avaient appris à se respecter.

J'étais comme toutes ces femmes avant de rencontrer Loïc. Je ne me connaissais pas. C'est lui qui m'a révélé qui j'étais. En me bandant les yeux, en m'asseyant au centre d'une pièce et en me demandant de me caresser, doucement, lentement. Les seins, le ventre, les épaules, les cheveux, le vagin, le clitoris. En même temps, je devais lui dire ce que je ressentais. Quand j'arrêtais de parler, c'était parce que je ne pouvais plus, parce que j'avais touché un point sensible. Alors ma respiration s'accélérait et je ne pouvais plus penser, seulement ressentir. C'est lui qui m'a appris à mettre des mots sur mes désirs, à dire ce que je voulais réellement qu'il me fasse, ce que j'aimais ou non. À faire basculer ma tête dans le flot de mes fantasmes afin de faire venir la jouissance plus vite, à contrôler ma respiration et mes cris afin de prolonger le plaisir, à me caresser lentement sous la table au restaurant sans que personne le remarque. Lui qui m'a appris qu'il y avait bien d'autres choses que ce que l'on voyait dans les films pornographiques, que l'on pouvait jouir ou éprouver du plaisir de bien des façons, par un simple mot, un effleurement d'épaule, un souffle sur la peau. Lui qui

94

m'a appris à dépasser ma peur du qu'en-dira-t-on pour exécuter les ordres qu'il m'envoyait par e-mail au bureau. Comme je rougissais au début ! Comme je me trahissais ! J'étais gauche et penaude comme une collégienne donnant son premier baiser. Une vraie nonne. Il faut dire que j'avais été éduquée selon les principes de l'Église catholique. Bien sûr, je m'en fichais, comme tout le monde. Pourtant, il y avait toujours cette petite voix en moi qui me disait que je ne pouvais pas faire ça, que ce n'était pas bien, que c'était un péché aux yeux de Dieu. Loïc m'a appris à regarder au-delà. J'étais un corps et un esprit, des pensées liées aux sensations, une vie mentale dépendante d'un matériau physique. Je ne savais pas alors que la simple caresse de mon corps avant de me coucher le soir, le simple effleurement de mon ventre, de mes seins ou de ma toison rendaient mon sommeil plus doux et plus serein. Dire « je t'aime » à mon corps était quelque chose que je n'avais jamais fait, à quoi je n'avais même jamais pensé. Tout comme me regarder dans la glace pour autre chose que traquer mes points noirs ou mes vergetures naissantes. Loïc a été mon Pygmalion, le seul, le premier, le dernier.

Il m'a appris à prendre son sexe entre mes mains, dans sa bouche, contre ma peau, à le caresser lentement, doucement, d'une tendre poussée vers ses bourses chaudes et lourdes, puis plus vite, plus fort mais pas trop non plus. Le prendre dans ma bouche jusqu'au plus profond de ma gorge et savoir le faire venir en moi. Savoir également retenir son éjaculation, ralentir le rythme quand il allait jouir afin de le faire redescendre pour aussitôt repartir de plus belle et décupler son plaisir. Ce ne sont pas des choses que l'on apprend à l'école. Et combien d'époux l'apprennent à leurs femmes ?

J'étais une femme comblée, heureuse, pleinement satisfaite sexuellement, intègre dans mon corps et dans ma tête, et combien amoureuse. Loïc n'avait jamais empiété sur ma liberté tout comme je n'avais jamais empiété sur la sienne. À bien y réfléchir, il m'avait même rendue plus libre encore en m'apprenant à me donner moi-même du plaisir. Pourquoi l'avait-il fait ? Et comment ne pouvais-je pas réinterpréter tout cela négativement à la lumière de ce que je savais sur lui à présent ? De ce que j'avais vu ? Quand l'homme que vous avez érigé en dieu redevient soudainement un humain à vos yeux, que faire des moments partagés et des paroles échangées ? Est-ce que tout devient forcément faux et tronqué ? Abusé, mensonger, trahi ? Ou cela ne change-t-il rien ? Je l'avais idéalisé, j'avais idéalisé notre amour, mon amour pour lui plus particulièrement. Je n'avais pas voulu voir ce qu'il essayait de faire et de me montrer: qu'il m'apprenait à me passer de lui afin d'être libre de sa propre vie sexuelle sans remords ni culpabilité. Il me bandait les yeux pour mieux me les ouvrir sur la réalité de notre couple : qu'il aimait aussi les hommes, surtout les hommes, et qu'il ne pouvait pas ne se satisfaire que de moi. Je n'étais pas assez bien ou tout simplement pas ce qu'il lui fallait. Je n'avais pas les bonnes armes ni le bon corps. Je n'avais que mes fesses à lui offrir et ce n'était pas suffisant. J'étais malheureuse à en mourir.

*
**

96

On était allés sur la plage un après-midi de vacances imprévues. Je n'avais pas emporté mon maillot de bain. La tentation d'enlever ses vêtements était pourtant irrésistible. Le sable, chaud et doux comme un morceau de soie, me léchait les pieds avant de mourir entre mes orteils dans un gommage des plus exquis. La morsure se hissait ensuite le long de mes chevilles tandis que l'information remontait jusqu'à mon système nerveux, déclenchant une combinaison de signaux électriques qui mettaient tous mes sens en alerte. Qui plus est, il y avait la mer, calme et torride sous un ciel bleu sans nuage, belle, éternelle, ronde et pleine comme une femme enceinte. Je la regardais et je pensais – oui, ma belle, je te comprends, moi aussi j'aurai mes enfants à couver un jour et je m'étendrai sur le monde en une main protectrice où ils seront à l'abri. J'étais fière et heureuse d'être une femme. Alors, devant ce trop-plein de bonheur, j'ai ôté mon jean et je me suis allongée sur la plage, le sexe offert au soleil à travers mon triangle de dentelle blanche. Loïc s'est assis près de moi, sans rien dire. Il a attrapé une brindille et l'a lentement glissée sur mon ventre, de bas en haut puis des seins jusqu'au pubis en passant par la ligne du nombril. J'ai fermé les yeux. Je me suis concentrée sur cette unique sensation, celle de la caresse de ce morceau de bois, de son frétillement et de ses yeux posés sur mon ventre. Le pouvoir de tout ce que cela recelait d'érotique et de sentimental. Mais la brindille ne dépassait jamais la limite de ma culotte, jamais. C'était frustrant. Loïc s'est alors penché vers moi et m'a murmuré :

— Tu sais pourquoi c'est si excitant ? Pourquoi

97

ton corps est en transe et pourquoi tu as si chaud ? Pourquoi tous les hommes qui passent ne peuvent pas s'empêcher de regarder entre tes cuisses alors qu'il y a des dizaines de femmes dans la même position que toi sur cette plage ?

J'ai dévisagé mon mari avec inquiétude.

— C'est le pouvoir de l'imagination, a-t-il répondu. Parce qu'ils devinent tes poils à travers le tissu blanc, mieux, qu'ils croient les voir. C'est ça qui les fait bander. Un bas de maillot noir, ça laisse indifférent, mais un carré de peau à moitié dénudé, l'aperçu d'une toison chaude sous le tissu, la promesse de lèvres grandes ouvertes… c'est hypnotisant, terrassant, excitant au plus haut point. Ça rend fou.

Pourquoi me racontait-il cela ?

— Et c'est pareil pour la brindille. Je monte, je descends, je remonte, je redescends un peu plus bas et tu te dis, la fois suivante, il touchera ma culotte, il la parcourra jusqu'à la pointe de mon vagin, jusqu'entre mes cuisses. Déjà, tu anticipes la sensation et tu mouilles à la seule pensée de cette caresse. Mais je ne descends pas jusque-là, je m'arrête avant, je te fais croire, je joue et, finalement, je te laisse haletante, frustrée et encore plus mouillée si c'est possible. Alors, quand je reviendrai, ce sera l'orgasme absolu, l'explosion de tes sens parce que tu auras tant attendu, désiré, imaginé que ton cerveau, directement connecté à tes désirs, décuplera chacune de tes sensations. Ce sera la perte de toute conscience.

J'ai frémi. J'étais littéralement pétrifiée, abandonnée à ses paroles, perdue, déséquilibrée, fondue et à mouler de nouveau. Je n'étais plus qu'un morceau de chair guidé par un seul stimulus : celui de la jouissance. Tout en me regardant droit dans les yeux, Loïc a repris sa brindille et l'a posée à hauteur de ma poitrine. Ensuite, il l'a fait descendre lentement, lentement, lentement, jusqu'à la limite de ma culotte. J'ai retenu mon souffle. Je ne regardais que ses yeux, seulement ses yeux, uniquement eux. Ils brûlaient. La brindille a continué son chemin et a atteint mes lèvres inondées depuis un bon moment déjà. La douleur a été fulgurante. J'ai aussitôt rejeté ma tête en arrière et j'ai serré les dents de toutes mes forces pour ne pas hurler. Ça s'est achevé presque instanta-nément mais j'étais complètement vidée.

Il m'a fallu un bon moment avant de pouvoir ouvrir les yeux. Il me regardait toujours. J'avais peur. Peur de cette science qu'il venait de partager avec moi.

— Tu devrais mettre de la crème solaire, a-t-il déclaré soudainement, ta peau est trop blanche pour supporter les UV sans protection.

J'ai hoché la tête, il m'a aidée à me relever et on est partis.

Le soir, dans le lit, il s'est collé à mon dos tandis que je lisais. J'avais ôté mon bas de pyjama à cause de la chaleur. Il a glissé sa main sous le drap et l'a posée sur mon ventre. Ensuite, il l'a remontée jusqu'à ma poitrine et s'est collé davantage contre moi. Son sexe s'est durci contre mes fesses. C'est alors qu'il m'a demandé ce que je ressentais.

— À propos de quoi ? ai-je demandé bêtement.

— De sentir mon pénis se gonfler, de savoir que c'est toi qui provoques ce désir en moi.

J'ai hésité.

— Je ne sais pas, c'est agréable.

— Mais encore, Margot. Ferme les yeux, concentre-toi et dis-moi ce que tu ressens réellement.

À moitié énervée, j'ai fermé mon livre en prenant bien soin de marquer la page puis j'ai obéi et j'ai fermé les yeux. D'abord, je n'ai ressenti nulle autre chose que son odeur et sa peau collante qui me donnait encore plus chaud. J'ai rouvert les yeux, il les a immédiatement bloqués avec sa main. J'ai souri. Il me connaissait si bien. Je me suis concentrée de nouveau. Son pénis reposait entre mes fesses, quelque peu tendu, chaud dans tous les cas. C'est seulement là que je me suis rendu compte que mes fesses étaient mouillées. En fait, plus j'y pensais, plus je sentais le liquide envahir mon entrejambe. Il devait le sentir aussi. Mon clitoris s'est rappelé à moi. Il haletait de petites piqûres très agréables, comme des spasmes rapprochés et vifs. Le sexe de Loïc s'est durci plus fort. Je ne sais pas si ça m'a excitée, mais je pouvais le voir dans ma tête, je l'imaginais se dresser contre mes fesses. Soudain, j'ai eu envie d'ouvrir les cuisses pour qu'il me pénètre. J'avais envie de lui, je le désirais. Plus encore, j'avais besoin qu'il entre en moi, qu'il m'ouvre, qu'il me fouille, qu'il me découvre encore et encore. Tellement que c'en est devenu insupportable. Mon clitoris me faisait si mal que brusquement, je me suis retournée et j'ai plongé mes yeux dans les siens.

— Fais-moi l'amour, là, tout de suite. Et vite, et fort, et violemment.

Il s'est accoudé, m'a fait rouler sous lui et m'a pénétrée en une fraction de seconde. J'ai poussé un cri de jouissance.

— Encore, plus fort.

Il m'a pénétrée plus durement jusqu'à buter contre les parois de mon vagin, une fois, puis une deuxième fois et une fois encore. Seulement là je me suis détendue et j'ai respiré à nouveau. J'avais retrouvé la sérénité. Il l'a senti, a éjaculé en moi puis s'est écroulé sur mon corps. Je l'ai entouré de mes bras avec amour. Je crois même qu'à cet instant je l'aimais comme jamais je ne l'avais aimé, d'une force herculéenne. Il était mon Dieu, il me connaissait mieux que moi-même, j'étais subjuguée.

— Pourquoi alors lui en voulez-vous autant ? m'a demandé le docteur Lanar.

J'ai levé les yeux vers lui. Je l'avais oublié. Complètement. Un instant, je l'ai considéré avec interrogation. Lui avais-je réellement raconté tout cela ? Était-ce vraiment à lui que j'avais confié mes moments les plus intimes ? Pourquoi ? Pourquoi lui ? Étais-je devenue faible à ce point ? J'ai baissé la tête et je me suis perdue dans la contemplation de mes mains posées sur mes cuisses. Bien sûr que je lui en voulais. Comment aurait-il pu en être autrement ? Il avait joué avec moi, il avait appris qui j'étais vraiment, il m'avait ouverte, analysée, déchiffrée. Il m'avait découverte comme un scientifique devant une espèce inconnue. Mais non, je n'étais pas une espèce inconnue puisqu'il savait sur moi toutes ces choses dont je n'étais pas consciente. Pourquoi alors ? Pourquoi ? Pourquoi ce jeu ?

Le docteur Lanar a repris :

101

— Que s'est-il passé après le soir où vous avez découvert que votre mari était homosexuel ?

— Loïc n'est pas homosexuel !

— Ah bon ? Bisexuel alors, peut-être ?

— Mais non, vous êtes fou. Il est simplement…

— Quoi, Margot ?

J'ai réprimé un juron.

— Rien. Il n'est rien. Enfin, il est peut-être un peu plus libertin que la plupart des gens, mais mon mari n'est pas homosexuel.

— Comment appelez-vous un homme qui entretient des rapports sexuels avec d'autres hommes ?

— Mon mari « n'entretient » pas des rapports sexuels avec d'autres hommes, comme vous dites. Simplement, il aime bien faire dans la diversité, voilà la vérité.

— Margot…

— Peut-être qu'il aime bien faire l'amour avec d'autres hommes, ai-je concédé avec fureur, mais cela ne fait pas de lui un homosexuel, n'est-ce pas ?

J'ai imploré le psychologue du regard. Il n'a pas répondu. J'ai paniqué.

— Non! Non! C'est trop dur. Je ne peux pas l'admettre.

— Il faudra bien pourtant.

— Mais pourquoi ? Pourquoi alors toute cette comédie ?

— Ne vous en êtes-vous jamais doutée ?

— Bien sûr que non ! Il était tellement parfait avec moi. Tellement gentil, attentionné, drôle, amoureux…

— Et personne dans votre entourage ne vous a rapporté des faits étranges concernant votre mari ?

— Non !

Soudain, j'ai pâli.

— Mon Dieu, insinuez-vous que toutes mes amies étaient au courant ?

— Je n'insinue rien du tout, je pose des questions, Margot. Je me demande pourquoi Loïc vous a épousée.

J'ai froncé les sourcils. Puis je me suis souvenue.

Antoine n'est plus jamais revenu. Ni sa femme, d'ailleurs. L'avait-elle su, elle aussi ? M'en voulait-elle ? Je n'y étais pourtant pour rien, si ce n'était le fait de ne pas avoir vu la nature profonde de mon mari et tenté de la comprendre.

Cela m'a pris plusieurs jours avant d'être capable d'en parler. Un soir, alors qu'il fumait un cigare sur la terrasse, je me suis assise à côté de lui, une tasse de thé à la main. Je lui ai tendu un verre de whisky. Il m'a remerciée sans me quitter des yeux. J'ai tourné mon regard vers l'horizon. J'avais besoin de prendre mon élan. Il a attendu patiemment. Je lui en ai été reconnaissante. Il fallait que je fasse le premier pas, il le savait. Finalement, j'ai demandé :

— Ce n'est pas nouveau, n'est-ce pas ?

— Non.

— Tu fais ça depuis toujours ?

— Depuis pas longtemps en fait. Quand j'étais jeune, je faisais l'amour avec les filles comme tout le monde. Je ne me posais pas vraiment de questions.

On organisait des virées sur la plage avec les potes, on ramenait le plus de nanas possible et ça finissait toujours en orgies sexuelles. Toutefois, j'ai vite compris que quelque chose n'allait pas avec moi. Je n'éprouvais pas de plaisir comme les autres. Puis il me fallait énormément de temps pour éjaculer et un rien me faisait débander. Une phrase de la nana, un rire de sa part, même un regard complice. Comme si quelque chose me dérangeait, mais que je ne trouvais pas quoi. Un jour, j'ai compris.

— Quoi ?

— Que j'étais mieux avec les hommes qu'avec les femmes.

— Comment l'as-tu compris ?

— Lors d'une soirée, à Londres. L'un des cadres de la boîte anglaise avec laquelle ma société allait fusionner m'a proposé d'aller boire un verre après la conférence. Je l'ai suivi. Je me suis retrouvé à quatre pattes sur son canapé.

— Comment il l'a su, pour toi je veux dire ?

— Les ignorants sont aveugles, les connaisseurs voient…

— Alors je ne suis qu'une pauvre ignorante, c'est ça ?

— Non, tu es la femme que j'aime et que j'ai épousée.

— Mais pourquoi, Loïc ? Pourquoi m'as-tu épousée ?

— Je voulais une femme et des enfants, Margot. Je voulais me marier, fonder une famille, avoir une maison où je rentrerais le soir heureux en sachant que ma femme m'attendrait avec un bon petit plat dans le four. Je voulais ce que tout le monde a, simplement.

Il s'est tu. J'ai baissé les yeux, gravement.

— Mais ce n'était pas compatible avec tes goûts sexuels, n'est-ce pas ?

Pourquoi avais-je demandé cela ? Pourquoi lui avais-je posé la question ? Je ne voulais pas entendre la réponse, je ne voulais pas savoir, je ne voulais pas qu'il me le dise. J'ai imploré silencieusement qu'il ne me réponde pas, qu'il choisisse de se taire ou qu'au contraire il vienne se blottir dans mes bras en me demandant « pardon, je ne sais pas ce qui m'a pris, c'est toi que j'aime ». J'aurais alors tout oublié, je lui aurais tout pardonné, comme s'il ne s'était rien passé. Mais Loïc n'était pas comme ça.

Le « non » qu'il a répondu a flotté dans ma tête comme un langage inconnu, quelque chose qui tenait du grec mélangé à du russe, du perse peut-être même aussi. C'est joli, le perse, je trouve. L'italien aurait fait trop moderne et l'allemand trop glauque. Mais du perse. Qui pourrait en vouloir à du perse ? J'ai cu du mal à déglutir. Ça semblait s'être quelque peu coincé là-haut dans ma gorge. J'ai tourné la tête vers le jardin. J'ai dû sourire, aussi, comme on sourit devant l'évidence, même si ça fait mal, même si ça nous déchire littéralement les entrailles et nous laisse le corps vide et les tripes à l'air.

Loïc a vidé son verre de whisky d'un trait et l'a posé sur la terrasse. J'ai suivi son geste des yeux avant de m'abîmer dans la contemplation du cristal. Après, il s'est approché de moi et m'a enlacée avec tendresse. Je n'ai pas détourné le regard du vide intérieur dans lequel je l'avais plongé. Il a attrapé mon menton et m'a obligée à le regarder.

— Je t'aime, Margot. C'est vrai. Tu es la seule

femme que j'aie jamais aimée, que j'aime et que j'aimerai toute ma vie, la seule capable de rivaliser avec mon goût pour les hommes, la seule avec laquelle je puisse faire l'amour.

J'ai pleuré, lentement, comme un robinet mal fermé qui goutte dans une baignoire trop grande. D'une caresse, il a essuyé mes larmes.

— Et je n'ai jamais voulu te faire souffrir. Ce n'était absolument pas mon but. Je pensais même qu'à tes côtés j'arriverais à oublier. À ne plus avoir envie d'un homme parce que je t'aime si fort. J'ai tenu bon un an. Et je ne regrette pas cette année-là.

J'ai soupiré. Il a roulé une mèche de mes cheveux dans ses doigts qu'il a ensuite déposée derrière mon oreille. Puis il m'a caressé la joue.

— Il voulait des enfants, ai-je répondu au docteur Lanar. Voilà pourquoi Loïc m'a épousée.
— Et vous ?
— Oui, enfin, avant.
— Avant quoi ?
— Avant de découvrir qu'il aimait les hommes.
— Pourquoi êtes-vous restée avec lui alors ?
— Parce que je l'aimais toujours…

J'avais le choix. On a toujours le choix. Le choix de partir, le choix d'accepter, le choix de divorcer, le choix de fuir, le choix de rester. J'ai choisi de lui laisser le choix. J'étais tellement faible. Et je l'aimais.

Parfois, il n'y a rien à comprendre. On sait qu'on tombe ou qu'on tombera un jour car ce n'est pas le bon chemin. On sent le mal que l'on fait à son corps et à sa tête, pourtant, on ne s'arrête pas pour autant. On ne peut tout simplement pas. Même si on sait. Il n'y a pas eu de mots, de promesses, de pactes ni quoi que ce soit dans ce genre. Il y a simplement eu nos yeux qui se sont mutuellement répondu en un silence lourd de conséquences.

Ce soir-là, je me suis enfermée dans la chambre pendant que Loïc se douchait et j'ai imploré le Ciel de nous pardonner. De me pardonner surtout, pour ma lâcheté, pour ma faiblesse et pour mon amour pour mon époux. Je l'ai supplié de nous pardonner nos péchés passés et ceux à venir car je savais que cela ne pourrait aller qu'en empirant. J'ai prié à genoux au pied du lit encore et encore, les mains jointes et le regard tourné vers le plafond avant de toucher terre de mon front et de pleurer de douleur et de peur. J'ai prié jusqu'à ce que je n'entende plus l'eau couler dans la salle de bains. Alors je me suis levée et je me suis servi un verre de whisky au salon.

19

Lundi. Jour de la thérapie de groupe. Pas envie de me lever. Pas envie de me doucher, de m'habiller, d'être propre, de sentir bon et tout le tralala. Envie de dormir et qu'on me foute la paix. Qu'ils aillent tous se faire voir. Y en a marre d'écouter leurs jérémiades et leurs bêtises habituelles. Y a que des cons de toute façon dans mon groupe. Des couineurs qui pleurent pour un rien. C'est déprimant et lassant. Mais évidemment, l'infirmière de service m'a obligée à bouger mes fesses et à me préparer pour ma thérapie. On dirait que ça les excite de voir les autres souffrir. C'est le rendez-vous des sadomaso ici. Venez mesdames, messieurs, approchez-vous de la cage, admirez nos beaux spécimens. Ils sont beaux, ils sont vrais, ils sont tout droit sortis de vos cauchemars. De vraies bêtes de scène qui vont vous faire hurler de peur.

J'ai mis mon t-shirt à l'envers et j'ai enfilé mon jean sans culotte. Je ne me suis pas non plus brossé les dents ni démêlé les cheveux. J'avais envie d'avoir honte de moi.

On n'était que huit aujourd'hui. La vieille du troisième avait eu un malaise au petit déjeuner donc elle devait rester au calme dans sa chambre pour la journée et le jeunot du couloir d'en face était en permission. Le veinard. Il allait avoir la chance de se rappeler ce que c'était que le monde extérieur, le bruit, la foule, les magasins, les imbéciles de gamines qui portent des jupes ras la touffe et des débardeurs troués et ces petits cons de mecs qui vous lancent des « Hé mademoiselle ! » avec des yeux de violeurs alors qu'on a qu'une envie, c'est de leur arracher les couilles et de les faire pourrir au soleil. Quelle chance cette permission ! Comme ça, le jeunot reviendra encore plus déprimé dans sa cage avec plein de belles images dans sa tête, tandis qu'autour de lui les seules couleurs qu'il trouvera seront celles de ses pilules à avaler. J'ai toujours admiré les gens qui s'occupent des autres, pour leur bien assurément. Et vas-y que je t'achète des belles fringues, pauvre petite fille malheureuse, que je te couvre de cadeaux, que je te fasse découvrir les joies de la jet-set, comme ça, quand tu retourneras dans ton trou à rats, tu seras encore plus déprimée et le seul moyen que tu trouveras pour revivre ça, ce sera de piquer dans les magasins ou de te prostituer sur les grands boulevards. Vive le mélange des cultures et vive l'humanitaire ! J'applaudis.

Enfin, avec tout ça, j'étais en retard pour ma thérapie de groupe. J'ai attrapé mon cahier bleu et mon crayon de papier en vitesse et j'ai rejoint l'infirmière qui m'attendait dans le couloir. On a commencé par un jeu de mots. Il fallait constituer la phrase la plus longue possible en rajoutant un mot à celle qui

110

était en cours à chaque fois que c'était son tour. Bien sûr, il fallait avant cela répéter la phrase sans se tromper. C'était si attendrissant comme jeu. *Le. Le petit. Le petit chat. Le petit chat qui. Le petit chat qui joue. Le petit chat qui joue avec. Le petit chat qui joue avec un. Le petit chat qui joue avec un cadavre.* Tout le monde s'est retourné vers moi en écarquillant les yeux. Un grand silence a suivi avant que la psychologue me demande d'une voix accueillante si je ne voyais pas un mot plus approprié que celui de « cadavre » à placer dans cette phrase. Le petit chat qui joue avec un ballon. Les autres ont souri et le jeu a repris. C'est super de faire plaisir aux gens. Ça me fait toujours chaud au cœur. Le jeu suivant était celui des devinettes. Il fallait trouver la personne que l'un des membres du groupe avait dans la tête en posant des questions auxquelles il répondait par oui ou par non. Est-ce que c'est un homme ? Est-ce qu'il est célèbre ? Est-ce qu'il est peintre ? Etc. J'ai été très sage aux trois premières questions. Puis ça m'a soûlée. Faut pas me prendre pour une conne non plus. C'était quelqu'un de l'hôpital. Alors j'ai demandé si c'était la personne que je voyais se branler tous les matins devant une photo de l'infirmière de service. Le gars à côté de moi a rigolé, les autres non. Surtout pas la psychologue. Aucun humour, ces toubibs. Le reste de la séance est passé et je n'ai plus eu le droit de participer aux jeux. Je devais seulement écouter. Tant mieux, ça me prenait la tête. J'ai regardé l'aiguille de l'horloge avancer, l'esprit vagabond. Le quatre après le trois. Le quatre, c'est moche comme chiffre. C'est de travers. Puis c'est jamais la bonne heure. Le cinq, c'est mieux. Non, le six.

Soudain, j'ai entendu mon nom. Aussitôt, j'ai recouvré mes esprits. Ils étaient tous là, à me regarder, à attendre visiblement que je réponde à une question. J'ai tourné la tête vers la psychologue. Elle me fixait avec bienveillance. Cela m'a mise mal à l'aise.

— Alors Margot, a-t-elle déclaré doucement, qu'est-ce qui te fait si mal au point de dire ces grossièretés ?

Elle m'a clouée sur place. Je n'ai pas répondu. Tous les regards étaient posés sur moi. Tous ces yeux qui me dévisageaient et cherchaient à percer mon âme. Je n'ai pas pu leur rendre leurs regards. C'était trop dur. J'ai baissé les yeux vers les chaussures de la psychologue et j'ai serré les dents en attendant que l'heure finisse de passer. Ils ont tous attendu. Pour rien. Je n'ai pas répondu.

La psychologue m'a abordée avant que je quitte la salle afin de me parler en tête à tête. Elle m'a dit qu'il ne fallait pas que je garde les choses pour moi, il fallait que je les dise, que je les crie même, que je les hurle, sinon j'allais étouffer.

— D'accord, mais pas aujourd'hui. Pas encore. Je ne suis pas prête.

Elle a acquiescé.

— Quand tu le sentiras, tu viendras me voir. Je t'écouterai.

Je l'ai remerciée. C'est une femme géniale, en fait. C'est moi qui suis conne.

20

Je n'avais jamais vraiment fumé. Crapoté, oui, comme tout le monde, tiré deux, trois lattes pour le plaisir, mais fumé à temps plein, jamais. Je n'en voyais pas l'intérêt. Surtout, je ne voulais pas mourir ni même me bousiller la santé et puer comme une benne à ordures. Non merci. J'étais belle et fière de l'être. Fière de mes dents blanches, de mon sourire irréprochable et de mes doigts de fée.

Pourtant, je me suis mise à fumer. Dès le lendemain. Pour accompagner le whisky. Ça allait mieux ensemble, je trouvais. Je me suis aussi mise à oublier de me faire à manger le midi, d'aller chercher les vêtements au pressing et de me refaire faire ma couleur chez le coiffeur. Oubliés les manucures, épilations, séances chez l'esthéticienne, soins du visage et gommage des pieds. Oubliées les soirées lectures à l'hôpital pour les enfants malades, les séances de gymnastique et les recettes de cuisine à créer. Oubliée ma vie d'avant. Je n'y arrivais plus. Loïc s'est inquiété. Mais, je faisais si bien semblant. Jusqu'à ce que je ne puisse plus, jusqu'à ce que je ne supporte plus qu'il me touche, jusqu'à ce que je devienne folle chaque fois que je me regardais dans la glace, jusqu'à ce que je me griffe la peau jusqu'au sang dans un accès de démence. Il n'y a pas eu de séquelles graves. Loïc a réussi à ce que cela passe pour un accident et que je ne sois pas obligée d'être suivie par un spécialiste. Quelle ironie ! Me protégeait-il ou protégeait-il ses arrières ? Je ne suis restée que deux jours à l'hôpital. Quand il m'a raccompagnée chez nous, une femme nous attendait dans l'entrée.

— Margot, je te présente Anna, a-t-il déclaré. Elle s'occupera de la maison et des repas. Comme ça, tu auras plus de temps pour toi, ma chérie.

Je me suis retenue de le gifler, de vomir sur place aussi. À la place, j'ai tendu une main glacée à Anna et je suis montée dans ma chambre. Je me suis aussitôt déshabillée et je me suis blottie sous les draps. Loïc est monté peu de temps après.

— Parle-moi Margot, m'a-t-il implorée. Parle-moi. Je t'aime et je suis malheureux. Tu me caches les choses. Tu me dis que tout va bien et que tu t'en fous de ma sexualité mais tu viens de me prouver le contraire. Je sais que tu souffres. Et je souffre de te voir souffrir. Alors parle-moi.

J'ai pleuré en silence.

Quand je suis sortie de la chambre, il faisait déjà nuit. Loïc était assis devant la télévision, un verre de scotch à la main. La bouteille trônait à moitié vidée sur la desserte. Le couvert sur la table de la salle à manger était mis et une salade composée nous y attendait. Anna était partie. Je suis allée droit vers mon mari et je me suis plantée devant lui.

— C'est dans des clubs que tu vas, n'est-ce pas ? Des clubs de partouze ou je ne sais trop quoi.

Il m'a regardée un instant sans sourciller, ensuite il a attrapé la télécommande et il a éteint la télévision. Puis il a reporté son attention sur moi. Il réfléchissait à toute allure, je le voyais dans ses yeux. Enfin, il a dit:

— Pas de partouze. De rencontres.

— C'est quoi la différence ?

— Je n'y vais pas pour me faire sauter par toute la boîte mais pour rencontrer quelqu'un qui me plaît et faire l'amour avec lui.

— Pourquoi ?

— Parce que c'est plus facile de rencontrer des gens comme moi là-bas. Des hommes d'affaires, des maris, des pères de famille qui ont aussi un côté gay qu'ils ne peuvent réfréner.

Il s'est tu. J'ai fermé les yeux un instant, avant de les rouvrir : ils étaient glacés. Il m'a attrapé la main et l'a embrassée avec douceur.

— Je t'aime Margot. Je t'aime toi, pas eux. Eux, j'aime ce qu'ils me donnent, ce qu'ils me procurent, uniquement ça. C'est uniquement sexuel. Il n'y a rien de sentimental.

— Et c'est censé me faire aller mieux ?

— C'est toi la femme de ma vie. Eux, ce ne sont que des partenaires de sexe. Des godes vivants si tu préfères.

Quelle métaphore !

J'ai réfléchi.

— Je ne serai jamais un homme.

— Non.

— Et tu auras toujours besoin de ça, de sodomiser les hommes ?

— Oui, a-t-il répondu après une seconde d'hésitation.

— Et je dois l'accepter et me dire super, au moins, il ne me trompera jamais avec une autre femme et il m'aimera toujours.

Il a soupiré de tristesse. J'ai serré les dents. Une question me brûlait les lèvres, la gorge, et même les entrailles depuis plusieurs jours, une question qui me faisait suffoquer chaque nuit.

— Est-ce que c'est toujours toi qui… ou est-ce que c'est l'autre aussi qui…

J'ai retenu mon souffle. Il a répondu d'une voix on ne peut plus claire :

— J'ai besoin des deux.

On ne m'avait jamais appris ça étant plus jeune. On m'avait appris à être une bonne épouse et une bonne compagne sexuelle, à savoir répondre aux attentes de mon mari et à combler ses appétits sexuels. Grâce aux films pornographiques et aux discussions entre copines, je savais pratiquer avec art la fellation et faire toutes sortes de choses. Puis, l'expérience allant, je m'étais améliorée au point d'être plutôt fière de moi et satisfaite sexuellement parlant. J'avais aussi eu des discussions avec ma mère sur la peur d'être trompée, de découvrir mon mari dans le lit d'une autre ou même de découvrir des mots doux de sa maîtresse dans les poches de sa veste. J'avais même tellement réfléchi au sujet que je m'étais dit que si Loïc m'annonçait un jour qu'il couchait de temps en temps avec une prostituée, je

116

l'accepterais. Après tout, le sexe était le sexe. Cela n'avait rien à voir avec les sentiments. Et puis, les hommes sont comme des bêtes. Quand on les excite, ils bandent illico et rien ne les retient plus. Mais jamais, au grand jamais, je n'avais envisagé que mon mari puisse me tromper avec... un homme ! Un homme ! Le sexe que j'étais censée draguer et non pas celui qui devait me rendre jalouse.

J'avais besoin de voir. J'ai regardé Loïc droit dans les yeux puis je lui ai déclaré :

— Emmène-moi, ai-je répété.

Il a retenu son souffle à son tour.

— Emmène-moi.

21

Il ne voulait pas m'emmener, il ne voulait pas que je l'accompagne dans ces clubs où, de toute façon, il n'y avait quasiment que des hommes.

— Ce n'est pas un endroit pour toi, m'a-t-il répondu le lendemain matin. Ce n'est pas ta place.

— Et c'est la tienne, peut-être ? Celle du père de famille que tu veux être ?

Il a baissé les yeux avant de répondre:

— Chacun a ses secrets.

— Ça, c'est trop facile, Loïc. C'est même carrément nul comme excuse.

Je me suis calmée puis j'ai repris :

— J'ai besoin de connaître ça au moins une fois, tu comprends ? Pour me libérer de toutes ces horreurs que je t'imagine faire. Pour que tu me prouves que j'ai tort.

— Tort de quoi ?

— Tort de t'imaginer en pleine partouze ou je ne sais trop quoi.

Il a froncé les sourcils.

— Peut-être que c'est le cas, ai-je repris précipitamment, mais alors je ne veux pas le savoir.

— Mais tu viens de dire…

— Tout ce que je veux, l'ai-je coupé, c'est voir à quoi ressemblent les clubs où tu vas. Pour que j'arrête de me torturer l'esprit et de me faire des films glauques sur tes pratiques sexuelles. Prouve-moi qu'il n'y a rien de pervers ou de masochiste, que c'est juste du sexe entre deux hommes. S'il te plaît, rien qu'une fois. Une seule fois, je te le promets.

Il n'approuvait pas du tout l'idée, loin de là. Néanmoins, il a vidé son verre d'un trait et m'a répondu :

— D'accord. Rien qu'une fois et après, on n'en parle plus jamais. Tu me laisses aller dans mes clubs de temps en temps, en échange tu fais ce que tu veux de tes soirées, tu vas voir ta mère ou tu vas au cinéma avec tes amies, peu m'importe, et tu ne me poses plus jamais de questions.

— Oui, ai-je promis.

C'était le deal.

Il est sorti du lit sans un regard pour moi. Il a balancé le drap comme un chiffon qu'on ne veut plus et s'est enfermé dans la salle de bains. Apeurée, j'ai attrapé son oreiller et je me suis blottie tout contre, le corps recroquevillé dans la position du fœtus. Une façon de me protéger de la décision que je venais de prendre. Il est ressorti dix minutes plus tard, la serviette nouée autour de la taille. Toujours sans m'accorder un regard, il s'est habillé, a noué sa cravate, a attrapé sa sacoche et a quitté la chambre. La cafetière a émis son gémissement matinal, la porte du placard à chaussures a fait de même, puis celle du garage. Ensuite, j'ai entendu sa voiture démarrer, puis plus rien. Lasse, je me suis étalée sur le lit, les bras écartés de part et d'autre de mon corps. Je suis restée ainsi à contempler le plafond une bonne heure durant, jusqu'à ce que la voix d'Anna m'appelle depuis le bas de l'escalier.

— Bonjour Anna, ai-je répondu.

J'ai mordu l'oreiller et je me suis levée.

*
**

Il m'a appelée à dix-sept heures trente. J'étais dans le jardin, occupée à ôter les mauvaises herbes, quand j'ai entendu la sonnerie. D'un bond, j'ai couru jusqu'au salon où j'ai décroché le téléphone à la volée.

— Oui ? ai-je demandé d'une voix essoufflée.

— C'est moi. Je passe te chercher à vingt heures. Sois prête.

Mon ventre s'est contracté douloureusement.

— Je serai prête.

Il a raccroché. Je suis restée comme une idiote avec le téléphone dans la main à fixer le cadre au-dessus de la cheminée. Le bord de la table à manger s'y reflétait. Lentement, j'ai reposé le combiné et je me suis adossée au bureau afin de ne pas défaillir. Vingt heures. Soit moins de trois heures avant la grande descente aux enfers. J'ai saisi mon paquet de cigarettes, le briquet, et je suis allée m'asseoir sur la terrasse pour fumer.

Je ne savais pas quoi mettre. J'allais voir en direct mon mari flirter avec un homme, et peut-être pire, et tout ce à quoi je pouvais penser se résumait au pantalon que je tenais dans la main et que je trouvais inadapté. Je l'ai reposé sur la pile. Il pendait quelque peu vers la droite. De plus, celui d'en dessous était mal plié également. À la réflexion, tout était mal plié. J'ai extirpé l'ensemble des pantalons de mon armoire et j'ai entrepris de les replier soigneusement un par un. Cela fait, j'ai contemplé ma pile de linge fièrement dressée sur l'étagère. Magnifique. Toutefois, cela jurait avec les jupes posées à côté. Puis les pull-overs dans la pile d'à côté aussi. En fait, cela jurait avec toute ma garde-robe. Alors j'ai tout sorti, j'ai tout déplié et j'ai tout replié.

Plus tard, le téléphone a sonné. J'ai couru décrocher le sans-fil posé sur la table de chevet. C'était Loïc. Il m'annonçait qu'il quittait le bureau, donc qu'il serait là d'ici moins de vingt minutes. Soudain, j'ai réalisé que j'avais passé tout ce temps à plier ces maudits vêtements. Furieuse contre moi-même, j'ai attrapé le pantalon qui trônait en haut de la pile, le même que celui que j'avais choisi deux heures auparavant, et je me suis habillée à la hâte.

Je ne tenais absolument pas à me faire remarquer. De plus, Loïc avait insisté pour que je sois la plus discrète possible. Donc ni boucles d'oreilles brillantes, ni rouge à lèvres, ni fard à paupières à outrance. Pantalon noir, haut foncé droit et chaussures plates. Je l'ai attendu sur le perron, une cigarette aux lèvres. Il est arrivé à l'heure dite, s'est garé devant moi mais n'est pas sorti de la voiture. Au lieu de cela, il m'a dévisagée à travers le pare-brise d'un regard qui me signifiait de monter sans parler. J'ai abdiqué, écrasé le mégot sous ma chaussure, saisi mon sac à main et je me suis assise sur le siège du passager. Il a démarré aussitôt.

Je mourais d'envie de connaître notre destination, le nom du club, le lieu, sa taille, le genre de personnes qui y allaient, etc. Mais je ne pouvais pas parler. Inconsciemment, mon silence faisait partie du deal implicite que nous avions passé. J'ai posé ma tête contre le carreau et je me suis concentrée sur ma respiration. Loïc était nerveux. Il avait acheté un paquet de Gitanes et les fumait les unes après les autres sans aucun répit pour ses poumons. Le bras gauche adossé contre la vitre, la cigarette au vent, il conduisait de la main droite. Chaque fois qu'il lâchait le volant pour changer de vitesse, je retenais ma respiration et regardais la route avec anxiété. Finalement, il a tourné à droite dans une petite rue que je ne connaissais pas et a garé sa voiture dans un parking souterrain – réservé à la clientèle. Je me suis agitée sur mon siège. Quelle clientèle ? Je n'avais aperçu ni bar, ni club, ni quoi que ce soit de ce genre. Loïc est descendu directement au deuxième sous-sol et a garé sa voiture au fond de ce dernier, d'une manœuvre aisée qui témoignait de sa connaissance des lieux. J'ai attrapé mon sac et je suis sortie.

Je n'avais pas imaginé cela comme ça. La porte du parking donnait sur un couloir qui débouchait directement dans l'entrée du club. J'ai jeté un coup d'œil vers la porte extérieure afin de comprendre pourquoi je ne l'avais pas vue quand nous étions passés en voiture. En fait, cette dernière ne donnait pas sur la rue mais sur une petite cour à l'intérieur d'un carré de bâtiments, à l'abri de tout regard innocent.

J'ai ri jaune. Ingénieux. Loïc a salué le vigile d'un hochement de tête et ce dernier a écarté le rideau qui séparait l'entrée de la salle. Ma main ancrée dans celle de mon mari, je l'ai suivi à l'intérieur.

Je m'étais représenté un lieu glauque, sombre, avec des canapés où les gens s'embrasseraient sans vergogne, des portes secrètes aussi, dissimulées un peu partout dans la pièce, par où des hommes entreraient et sortiraient furtivement, des strip-teaseuses trop extraverties à mon goût, des flots d'alcools et des effluves de sperme dans l'air. Or, ce n'était absolument pas le cas. En fait, si je n'avais pas su la spécialité du lieu, jamais je ne l'aurais devinée en entrant dans le club.

Les tables étaient disposées comme à l'ordinaire, sur une surface d'une cinquantaine de mètres carrés avec un espace vers le fond réservé aux musiciens. Un groupe de jazz reprenait au moment même une chanson de Ray Charles. Sur la gauche de la pièce se tenait un bar ouvert, long d'une dizaine de mètres, avec les bouteilles qui trônaient derrière. Trois barmans se partageaient le travail tandis que deux serveuses se chargeaient de nettoyer les tables. Loïc s'est directement dirigé vers l'une d'elles sur la droite, un peu à l'écart du centre, et m'a ordonné de m'y asseoir. J'ai obéi sans broncher. Il a retiré sa veste, m'a priée de faire de même, puis a hélé une des serveuses.

— Deux whiskies purs, a-t-il commandé tout en lui déposant nos vestes dans les bras.

Ensuite, il s'est assis et il a allumé une nouvelle cigarette nerveusement. Je l'ai regardé avec insistance.

Il m'a tendu sa cigarette et en a allumé une autre. Ce n'était pas ce que je voulais.

On n'a rien dit pendant le temps d'attente de nos boissons. J'écoutais la musique tout en scrutant attentivement chaque personne présente dans la pièce tandis que Loïc bidouillait je ne sais trop quoi sur son téléphone. Finalement, la serveuse nous a apporté notre commande accompagnée d'une coupelle d'olives vertes. Loïc l'a arrêtée en plein geste alors qu'elle repartait.

— Marque mon nom sur la liste, a-t-il déclaré froidement.

— Et elle ?

— Non.

Elle a hoché la tête puis elle est repartie. Je n'ai pas compris. Je n'ai pas voulu comprendre non plus.

— À la tienne, m'a déclaré mon mari en levant son verre au-dessus de la table. Nos verres se sont entrechoqués dans un bruit sourd que je n'ai pas oublié. Et ça a été comme si j'entendais son regard, plus fort que jamais, deux yeux noirs qui me hurlaient : « Tu as voulu voir, bah tu vas voir. Mais ce sera trop tard pour pleurer après. » J'ai défailli.

Le temps a passé, lentement, étrangement, comme un écho flottant au-dessus de l'eau. Des gens entraient, sortaient, revenaient, repartaient. Des hommes principalement. La plupart élégamment vêtus, en costard cravate ou en pantalon à pinces, quelques-uns traînant même encore leur sacoche à la main. Je fumais, Loïc fumait, la salle fumait. Je dévisageais mes semblables, des femmes d'âge mûr (aucune ne devait avoir moins de trente-cinq ans), le regard sûr, les cheveux coiffés en un chignon impeccable ou coupés au carré, le tailleur droit, la chaussure à talons standard. Des femmes d'affaires. Des businesswomen. Des femmes qui ne me ressemblaient en rien. Qui ne devaient même jamais avoir croisé de femmes de mon genre dans leur entourage, ou pas depuis un long moment en tout cas. Des femmes qui avaient sacrifié leur vie familiale sur l'autel de la Bourse parisienne. Certaines devaient sûrement avoir des enfants. Toutefois, je n'arrivais pas à le concevoir ni à les imaginer leur racontant une histoire. Étaient-elles là pour un homme ? Une femme ? Du sexe, qu'importe la provenance et la couleur ? Du plaisir ? De la jouissance ? L'envie de se libérer d'une journée harassante ?

J'ai arrêté là les hypothèses. Un homme venait de prendre place à notre table, juste en face de mon mari. Sans attendre, il a demandé à mon époux :

— C'est pour un trio ? Car il n'y a que ton nom sur la liste.

Loïc a souri.

— Non, elle, c'est juste pour regarder si ça te dérange pas. Sinon, elle s'en va.

C'est à ce moment-là que j'ai compris le pourquoi de la liste, son nom dessus et le mien qui n'y était pas. L'homme m'a regardée en face pour la première fois depuis qu'il s'était assis à notre table, comme si, par ces mots, Loïc lui avait accordé le droit de me dévisager. J'ai planté mon regard dans le sien dans un air de défi. Je n'avais nullement peur. En fait, je n'avais pas encore pris conscience de mon implication dans cette histoire. Tout ce que j'avais retenu, c'est que c'était à cet homme de décider si oui ou non j'aurais un rôle dans la pièce, et il était hors de question que je me fasse mettre sur le banc de touche par un petit jeune qui ne me connaissait ni d'Eve ni d'Adam. Finalement, après un long silence, il a regardé à nouveau mon mari et a déclaré :

— Ça ne me dérange pas.

J'avais gagné mon passe pour un film porno en direct.

— OK, a répondu Loïc. Va réserver une salle, on te rejoint.

Le gars s'est levé. Je l'ai accompagné du regard. Loïc m'a ramenée sur terre.

— À partir de maintenant, Margot, tu te tais et tu fais tout ce que je te dis, c'est-à-dire rien. Tu t'assois là où je te dis et tu ne bouges pas. Je veux oublier que tu es là. Je veux oublier que je t'ai emmenée avec moi. Je veux même oublier que tu existes.

Il n'avait pas besoin de rajouter cette dernière phrase. La blessure était suffisamment grande pour me faire souffrir le temps que durerait le spectacle. Néanmoins, je savais que lui en avait besoin, pour se protéger lui-même de ma présence et de la folie que cela allait immanquablement déclencher dans son cerveau. Sa propre femme assistant elle-même à sa sodomie par un parfait inconnu dans une salle miteuse d'un club échangiste. J'ai hoché la tête en signe d'acquiescement.

— Bien, a-t-il décrété.

Ensuite, il s'est levé et il m'a tendu la main. J'y ai posé la mienne avec douceur. J'avais besoin de son contact physique le plus longtemps possible.

On avait la salle 3. J'ai toujours aimé le chiffre trois. C'est un joli chiffre, je trouve, compliqué à écrire, un peu bancal, maladroit, seul car formé de deux moitiés de boucles qui ne se rejoignent jamais. C'est un chiffre qu'on a envie d'aimer pour l'image qu'il nous renvoie, la nôtre, la familiarité que l'on ressent à ses côtés. La salle trois. Était-ce un bon signe ? Je n'aurais pas pu aller dans la salle portant le numéro un, trop choquant, trop direct, et la salle deux aurait été trop conventionnelle. Puis, être numéro deux, c'est se battre pour être numéro un, c'est avoir la rage d'avoir échoué de si peu à avoir la première place. Alors qu'être numéro trois, c'est merveilleux. On a réussi à être sur le podium, on est fier de soi, de ce que l'on a accompli, et l'on peut se reposer de sa victoire parce que l'on se sent bien de l'endroit où l'on est et de la vue que l'on a. Ni trop bas ni trop haut. Le trois, c'est bien. C'est rassurant et moins fatigant.

Il nous attendait dans le vestibule menant aux salles. J'en comptai cinq, sans doute y en avait-il davantage. Loïc l'a suivi, j'ai suivi Loïc. Il a ouvert la porte et nous a fait entrer avant de refermer à clé derrière nous. J'ai aussitôt balayé les lieux du regard. C'était beau et très propre. On aurait pu croire à une chambre d'hôtel, à première vue, s'il n'y avait pas eu une table sur la gauche où était posé un joli panier empli de préservatifs en tous genres et de gels lubrifiants. Je me suis approchée pour mieux regarder. Gel vaginal, lubrifiant masculin, préservatifs féminins, préservatifs masculins avec réservoir, sans réservoir, small, médium, large, extralarge, à la pomme, à la vanille, à l'abricot. Et à côté : bandeaux pour les yeux, menottes en fourrure noire et godemichés standard en forme de pénis (supplément : 5 euros par accessoire et à déposer dans le panier près de la porte en sortant afin qu'ils soient lavés). Un vrai festin! Une banquette orange avec des coussins moelleux tapissait la cloison gauche de la pièce tandis qu'à droite se trouvaient une salle de douche, un lavabo et une desserte de bouteilles d'alcools. Bien évidemment, le lit trônait au milieu, grand, simple, blanc. Néanmoins, ils avaient pensé à tout puisqu'il y avait une barre à laquelle s'accrocher au-dessus de la tête de lit ainsi que des crochets fixés dans le mur. Je n'ai pas cherché à connaître leur usage. Je n'ai pas voulu. Il y avait également un grand tapis étendu sur le sol à la droite du lit, entre ce dernier et la salle de bains qui, j'imaginais, était assez grande pour accueillir toutes sortes de galipettes.

Loïc s'est promptement dirigé vers la desserte.

— Vodka sans glace ?

— Oui, ai-je répondu machinalement avant de me rendre compte qu'il parlait à l'autre homme.

Il m'a jeté un regard glacial, je me suis mordu la lèvre de sottise.

— Parfait pour moi aussi, a répondu l'homme.

Je lui ai adressé un regard de voleur pris sur le fait, il m'a répondu par un sourire chaleureux.

— Vous devriez vous asseoir sur la banquette, a-t-il déclaré à mon attention. Elle est très confortable. En plus, vous aurez une très belle vue sur la scène.

La scène. Pensait-il vraiment que je considérais cela comme un spectacle ? Que j'étais venue là parce que je n'avais trouvé aucune pièce de théâtre à mon goût dans *L'Officiel des spectacles* ? Je suis allée m'asseoir bien sagement à la place qu'il m'avait indiquée.

Loïc nous a tendu nos verres.

— C'est ma femme, a-t-il soudainement déclaré à Antoine bis (j'avais décidé de l'appeler ainsi). Elle veut voir.

— Pourquoi ?

Loïc a émis un rire jaune on ne peut plus explicite à mes oreilles.

— Parce qu'elle croit en avoir besoin.

Il a vidé son verre d'un trait. J'ai gardé les yeux fixés sur le mien. D'un ton bref, il a ajouté :

— Pas de questions mec, OK ? Pas de discussion, pas d'au revoir. Je veux juste qu'elle voie et qu'on s'en aille.

J'étais mal, très mal même. Ainsi, d'habitude, ils prenaient le temps de se présenter. Ce n'était pas juste du sexe pour le sexe. Ils ne devaient pas non plus se raconter toute leur vie ni devenir les meilleurs amis du monde, mais tout de même, ils se parlaient, ils restaient en contact. Brusquement, j'ai pâli. Avait-il déjà invité l'un d'entre eux chez nous ? Avais-je déjà cuisiné pour l'un d'entre eux ? Avais-je regardé mon mari avec des yeux amoureux tandis que l'un et l'autre se tripotaient sous la table ? La vodka m'est remontée dans la gorge. J'ai serré les lèvres de toutes mes forces pour ne pas vomir. Pas maintenant. Antoine bis n'a pas eu l'air de s'offusquer de la situation. Au contraire, il prenait un malin plaisir à me jeter des regards en biais, discrètement, malicieusement. Je n'y répondais pas. Après tout, je n'étais ni une complice ni une spectatrice. Mais qui étais-je alors ?

Antoine bis s'est déshabillé le premier, des pieds à la tête. Il a même ôté ses chaussettes qu'il a soigneusement posées sur ses chaussures, à côté de la table. Il devait être banquier pour être aussi soigné. Ou avocat. C'était sûr. Il avait un corps parfait, le buste en V et le ventre plat, même si l'on n'y discernait aucun abdominal. Les fesses blanches, avec quelques vergetures, des poils qui lui couraient le long du dos en une ligne fine et sombre, le sexe épilé, les fesses aussi d'ailleurs. Plus facile… Loïc l'a contemplé dans sa nudité comme un tableau que l'on vient d'acquérir. Il était satisfait, je le voyais dans ses yeux. Ils brillaient comme à chaque fois qu'il était heureux. C'était peut-être ça qui me faisait le plus mal en cet instant précis : le voir heureux à contempler un corps qui n'était pas le mien. Je n'avais certes pas les vergetures sur les fesses mais je n'avais pas ce gros machin mou qui pendait entre mes cuisses. Toute une vie détruite pour un morceau d'anatomie manquant. Quelle tristesse ! Antoine bis s'est approché de mon mari et a défait le nœud de sa cravate. Son cou libéré, il a déboutonné le haut de sa chemise, a libéré le carré de peau qui se trouvait dessous puis a posé ses lèvres dessus. Mon mari me faisant face, je ne voyais pas la portée de ses baisers. Néanmoins, je pouvais clairement les imaginer : langoureux, doux, porteurs d'une promesse infinie. Les mêmes que les miens. Loïc l'a brusquement repoussé. Parce que j'étais là, je le savais. Sinon… Il a déboutonné le reste de sa chemise lui-même et l'a retirée sans ménagement. Ensuite, il a défait sa ceinture et a ôté ses chaussures, son pantalon et son caleçon. Pas ses chaussettes.

*
**

— Et ? m'a demandé le docteur Lanar.

J'ai relevé les yeux. J'avais cessé de parler depuis un bon moment déjà. Je m'étais perdue dans la contemplation intérieure de la scène, le souvenir des gestes, des bruits, des odeurs…

— Je me souviens plus trop, ai-je répondu. Je n'ai pas vraiment regardé. Je ne voulais pas.

Il a hoché la tête. J'ai baissé la mienne à nouveau. C'était faux. Je me souvenais parfaitement de tout. Je me souvenais parfaitement que Loïc l'avait retourné et l'avait basculé sur le lit de la même façon qu'il l'avait fait avec moi le soir où j'avais tout découvert. Le même scénario de base, l'épisode de la jupe en moins et celui du préservatif en plus. Il avait pénétré Antoine bis avec le même désir, enfoncé son sexe dans son rectum avec la même intensité et la même force, poussé un râle comme il avait rugi en moi, gravement, bestialement. Mais pas de cheveux longs pour y accrocher ses mains et faire cambrer le corps de l'autre. De toutes les façons, il n'y en avait pas besoin. Antoine bis jouait son rôle à la perfection. Je me suis mordu la lèvre jusqu'au sang. Ça n'a pas suffi à calmer ma douleur.

*
**

Je n'ai pas regardé mon mari dans les yeux de tout le temps qu'ont duré leurs ébats. Jamais. J'ai fixé

132

chaque partie de son corps, chaque mouvement, chaque tressaillement, mais jamais ses yeux ni même son visage. Je n'aurais pas pu. Je n'aurais pas tenu. L'entendre était suffisamment éprouvant et déjà cela provoquait en moi des images de lui que je chassais aussitôt de mon esprit. Son sexe était sien, mais son visage était ma vie, mon univers, le champ de mes sentiments. Le perdre aurait été comme perdre mon propre corps.

Ils n'ont fait l'amour qu'une seule fois. Antoine bis a dû regretter d'avoir choisi mon mari. Pas rentable cette soirée par rapport à l'argent qu'il avait dû dépenser. Cependant, au demi-sourire qu'il m'a lancé alors qu'il atteignait l'orgasme, j'ai deviné qu'il avait pris du plaisir au-delà du seuil habituel grâce à l'indécence de ma présence. Mon regard sur leurs ébats avait été comme un sextoy délicieux. Quel amour je faisais !

Ils se sont rhabillés. Je me serais bien resservi un verre de vodka mais je n'osais plus bouger, encore moins traverser la pièce et frôler leurs corps.

— Tu viens souvent ? a alors demandé mon mari à Antoine bis.

— Oui.

Je n'étais pas stupide. Cela voulait clairement dire que Loïc avait apprécié la rencontre et qu'il désirait le revoir. J'ai fait semblant de ne pas comprendre. Par lâcheté. Je voulais quitter cet endroit le plus vite possible et mettre le plus de distance possible entre lui et moi. J'ai récupéré mon sac à main et j'ai quitté la pièce sans regarder Antoine bis ni la poubelle où trônait la capote usagée.

— Tu récupères nos manteaux, je t'attends dehors, ai-je déclaré avec froideur à Loïc.

J'ai pressé le pas jusqu'à la porte d'entrée, poussé cette dernière, puis j'ai inspiré de toutes mes forces une fois dehors. Ensuite, j'ai allumé une cigarette pour donner le change.

C'était poulet-frites ce midi-là à la cantine. Je me suis resservie par deux fois puis j'ai pris de la compote de pommes et une grosse part de tarte au citron ainsi que le reste de mousse au chocolat.

— Eh bien ! a plaisanté le cuisinier, c'est le remplissage aujourd'hui, Margot. T'as peur d'avoir perdu trois kilos ou quoi ?

Mes yeux se sont enflammés de malice.

— Plus même. Je viens au moins d'en perdre dix.

Il n'a pas compris. J'ai souri.

22

Lorcha aura quatorze ans demain. Ma petite sœur, mon petit bout de femme que j'ai serré dans mes bras juste après sa naissance. Doucement, fiévreusement, par peur de briser ce morceau de cristal que je portais, cet être fragile qui venait de dire bonjour à la vie. Quatorze ans. Comme le temps passe vite. Les années s'envolent et la jeunesse avec elles, l'insouciance des dix-huit ans, l'immortalité des vingt, la soif de possession des vingt-cinq. Et moi vingt-huit. Vingt-huit ans et peut-être déjà la fin de ma vie. Je ne sortirai de cet asile de fous que les menottes aux poignets ou les pieds devant, raide comme une pierre tombale, je le sais. D'ailleurs, je ne veux pas être enterrée. Je suis trop égoïste et vaniteuse pour cela. Moi, partageant le terreau d'une centaine d'autres cadavres dans un espace réduit de quelques mètres carrés. Vous plaisantez ! Une tombe parmi d'autres, une plaque de marbre sur un carré de terre pour l'éternité quand toute sa vie on a aspiré à devenir le monde ? Ce serait bien regrettable de finir de se consumer dans un si petit enclos après tant de richesses partagées. Puis, je suis une solitaire. Jamais je ne pourrais me nouer d'amitié avec mes voisins de là-dessous ni me faufiler d'une tombe à l'autre afin de faire la causette. Non, brûlez-moi, simplement, là où vous me trouverez morte. Allumez un feu, allez chercher quelques brindilles, histoire que celui-ci prenne bien, et enflammez le tout. Quelques gouttes d'alcool sur le bois crépitant afin de magnifier les flammes et une pelle pour disperser les cendres comme unique objet de cérémonie. Parfait. Faites donc cela. Point n'est nécessaire de me bâtir un tombeau quand de mon vivant j'y séjournais déjà. Envolez-moi plutôt vers le ciel au lieu de m'abaisser sous terre et laissez-moi m'exprimer librement, sans panneaux de bois pour me retenir. Je ne viendrai pas vous hanter, je vous le promets. Je serai un sage fantôme, une âme libre et sereine, accomplie. Un jour, je serai un oiseau.

23

Loïc ne m'a posé aucune question. Ni sur ce que je ressentais ou avais ressenti, ni sur ce que je pensais. Quant à ce que je comptais faire, la réponse était déjà écrite : j'avais vu, à présent je devais oublier et laisser notre vie reprendre le cours normal des choses. Je devais redevenir la bonne épouse, aimante et douce, et lui le parfait mari qui assure un foyer on ne peut plus convenable à sa famille. Comme cela semblait simple à faire en théorie !

D'abord, j'ai demandé à Loïc de renvoyer Anna. Je n'avais pas besoin d'elle, et surtout, je ne la voulais plus dans mes jambes. Ensuite, je lui ai dit que je lui ferais cet enfant qu'il voulait tant mais que d'abord j'avais besoin de réfléchir, de faire le vide dans ma tête. J'avais décidé de vider les placards de mon cerveau et de faire le tri de ce qu'ils contenaient. Loïc a approuvé, tout en me regardant bizarrement. Peu m'importait. Mes plaquettes de pilules contraceptives se vendaient par trois, je venais d'entamer un nouveau paquet. J'avais donc un délai de trois mois de réflexion. Parfait.

Bien sûr que j'ai pensé à quitter mon mari. Plusieurs fois, j'ai même fait ma valise sitôt Loïc parti travailler. Cependant, invariablement, je reposais mes vêtements un à un dans l'armoire à leur place. Comment partir alors que je l'aimais toujours ? Comment le quitter ? J'avais besoin de lui. Il était ma vie, ma force, ma lumière. Sans lui, je m'effondrerais.

J'avais réfléchi à toutes les solutions possibles et envisageables face à cette situation improbable, mais aucune n'avait trouvé écho face à la folie de mon amour pour lui. Je devais partir, je le savais, car rien de bon ne pouvait émaner d'un tel pacte. Je devais le quitter, en parler autour de moi au lieu de me taire, agir en adulte, chercher de l'aide ailleurs, demander conseil auprès de mes proches, aller pleurer dans les jupes de ma mère ou même trouver refuge chez un amant, n'importe quoi de ce genre. Seulement j'étais trop honteuse envers moi-même pour envisager l'une de ces solutions. Honteuse du secret de mon mari que je voulais protéger à tout prix et coupable du crime d'abomination sexuelle. Je couchais avec un homme qui aimait les hommes. J'étais salie, répudiée par la bonne société, rejetée par ma bêtise et mon ignorance. Je me détestais.

Je ne pouvais pas rester et vivre cette vie-là, je ne pouvais pas partir et oublier. J'ai décidé de faire la seule chose qui me semblait envisageable, aussi folle et stupide soit-elle : changer mon mari. Le faire cesser d'aimer les hommes. Pour qu'il m'aime à nouveau, moi et moi seule, et qu'il n'ait plus besoin d'aller voir ailleurs. Parce que je serais là et que je saurais le combler. Mais avant d'y arriver, il fallait que je comprenne la nature exacte de ses désirs sexuels, et pour cela, il fallait que je fouille dans ses affaires, même si la seule idée de la chose me rebutait déjà. C'était pourtant le seul moyen.

*
**

Loïc partait tous les matins à huit heures précises et ne rentrait jamais avant dix-neuf heures. Quant à moi, habituellement, je passais mes matinées à faire le ménage, à jardiner, à trier le courrier et à effectuer les comptes ménagers. Cela fait, je me douchais et je m'habillais puis je m'épilais et je me vernissais les ongles. Ensuite, je mangeais un repas léger devant le journal de treize heures puis je partais en ville pour l'après-midi, soit pour me rendre à mes différents rendez-vous (coiffeur, kinésithérapeute, thé entre amies…) et faire les emplettes nécessaires pour la maison et le dîner, soit simplement pour me balader et profiter du soleil tout en faisant du lèche-vitrines à l'ombre des rues commerçantes. Quoi qu'il en soit, je rentrais toujours avant dix-huit heures et je me mettais aux fourneaux pour préparer le dîner du soir. Telles étaient la plupart de mes journées. Vie de rêve, vie de luxe, d'oisiveté, de simplicité.

J'étais assistante bibliothécaire avant de rencontrer mon mari. Mais je n'aimais pas mon travail. Lire, oui, et c'était ce qui m'avait orientée dans cette voie. Je croyais qu'une bibliothécaire passait ses journées à rêver aux personnages de ses romans. Le côté administratif, paperasses et fiches à remplir, n'était alors pour moi que secondaire.

Malheureusement, mon premier stage se révéla

n'être que cela, le second également, et quand enfin je trouvai une place d'assistante dans une bibliothèque parisienne, ce ne fut pas mieux, à la différence près que les listes de livres à commander étaient plus longues. Pas de combats de capes et d'épées ni de princesses en quête d'amour pour moi, mais comptes, factures, recommandés et courses à la poste trois fois par semaine, avec la file d'attente de circonstance. Quand Loïc m'a proposé de m'entretenir, je n'ai pas hésité une seule seconde. Et puis j'avais le gloussement de bonheur de ma mère dans la tête, celui qu'elle avait poussé quand je le lui avais annoncé cela.

— Ah, ma fille, c'est merveilleux. Loïc va t'épouser et vous allez nous faire de beaux enfants.

Loïc m'a bien épousée. Il aurait pu attendre que je sois enceinte d'abord, à l'époque j'aurais trouvé cela logique. Mon esprit était encore tellement formaté pour être une bonne épouse et non simplement une femme. Mes études n'avaient-elles été qu'une façade pour donner le change en attendant de me marier ? Est-ce que ce n'avait pas été, depuis toujours, mon unique but dans la vie, inconscient bien sûr ? Je ne sais pas. Je suivais, docilement. Les gens semblaient contents autour de moi, alors pourquoi ne l'aurais-je pas été ? À présent, je me rendais compte que, si Loïc m'avait épousée sans garantie de fécondité, c'était simplement parce qu'il cachait ce secret et que lui aussi ne se sentirait en sécurité qu'une fois marié.

Mariée. J'étais donc mariée. Mieux, je pouvais enfin lire à loisir tous les romans que je voulais pendant mes après-midi d'oisiveté. Et pas derrière un bureau dans une pièce sans lumière, non ! allongée au soleil au milieu d'un jardin où j'entendais les moineaux chanter dans l'arbre derrière le porche. J'avais socialement « réussi ». Quelle réussite !

J'ai décidé d'inverser mon emploi du temps. Très vite après cette soirée qui me hantait davantage chaque jour, j'ai pris l'habitude de me lever plus tôt que mon mari pour lui préparer un bon petit déjeuner que je prenais avec lui tout en lui parlant de ma journée passée ou de mes projets de décoration. Ensuite, pendant que Loïc passait à la salle de bains, je débarrassais et je rangeais la cuisine le plus rapidement possible. Après, je lui disais au revoir d'un baiser sur les lèvres, je guettais le bruit de sa voiture sortant du garage, je dressais l'oreille une courte minute afin d'être sûre de ne pas le voir revenir, puis je courais à l'étage allumer son ordinateur.

J'avais déjà fouillé dans toutes ses affaires personnelles : dans ses vêtements, dans son tiroir à chaussettes, parmi ses caleçons, dans les placards de la salle de bains, dans le tiroir de sa table de chevet, dans ceux de son bureau, même dans celui qui était censé être secret sous la planche à écrire. J'avais regardé dans ses valises, effeuillé tous ses livres, romans, etc., et les autres papiers afin de vérifier qu'ils ne contenaient pas de petits mots. J'avais cherché dans le garage sous les pots à outils, dans la boîte à gants de sa voiture une nuit où il dormait profondément (grâce à un demi-comprimé de Stilnox, je l'avoue), dans la cabane du jardin (à mon grand regret, j'avais dû y entrer), dans les cartons du grenier et même à la cave, entre les bouteilles de vin puisque c'était toujours lui qui allait les chercher. Je n'avais rien trouvé. Il ne me restait donc que son ordinateur de bureau, dans lequel je plaçais peu d'espoir de trouver quoi que ce soit puisque j'étais sûre qu'il n'utilisait ce dernier que certains soirs pour télécharger de son ordinateur portable ses dossiers et mettre à jour sa comptabilité. J'avais toutefois essayé d'entrer dans sa session deux jours auparavant, mais elle était protégée par un mot de passe que je ne connaissais pas, évidemment. De ce fait, j'avais passé la journée de la veille à réfléchir à ce que cela pouvait être. En vain. Mon prénom, son nom, le mien, celui de sa mère, le nom de sa société, tout cela était trop facile. J'avais même essayé « Antoine », à tout hasard, mais ce dernier avait également été refusé. Il fallait que je trouve, je devais trouver.

Ce matin-là, je me suis assise devant l'écran noir de l'ordinateur. Je l'ai fixé bêtement pendant quelques minutes, sans réfléchir. À vrai dire, c'était étonnant de constater à quel point ma capacité à fixer le vide s'était décuplée depuis cette soirée. C'est l'horloge sonnant la demie qui m'a sortie de ma torpeur. Énervée, je suis allée chercher l'aspirateur dans le placard de l'entrée afin de nettoyer la poussière que j'apercevais sous le canapé. Celui-ci était trop lourd pour être soulevé, il fallait donc que je m'accroupisse à même le sol et que je passe le bras loin sur le plancher pour emprisonner les poussières dans l'appareil. La position était des plus inconfortables : les fesses en l'air, la tête tournée vers le canapé, la joue droite effleurant le sol tandis que les cheveux le balayaient, les doigts de pieds en éventail et le t-shirt à moitié glissé sur le dos, découvrant mes reins ainsi qu'une moitié de sein. J'ai souri en imaginant quelqu'un qui me surprendrait dans cette position, comme cela avait d'ailleurs été le cas un soir, dans l'appartement de l'avenue Magenta. Alors que j'attendais sagement Loïc lors de l'un de nos premiers rendez-vous, assise sur son canapé, j'avais voulu réajuster la table basse qui marquait un pli avec le tapis. Cependant, en faisant cela, mon bracelet s'était accroché à je ne sais trop quoi, si bien qu'il s'était cassé et que les perles s'étaient répandues dans toute la pièce. Affolée, je m'étais agenouillée en hâte sur le tapis pour les récupérer. L'une d'entre elles avait glissé sous le canapé. Indécise, j'avais finalement adopté la même position que celle dans laquelle je me trouvais actuellement afin de la récupérer. C'est à ce moment-là que Loïc était revenu dans la pièce, se retrouvant nez à nez avec mon postérieur. J'avais rougi comme une écolière.

Rougi. Rouge… Magenta ! Le mot a immédiatement fait tilt dans ma tête. Pourquoi n'y avais-je pas pensé plus tôt ? Cet appartement était la clé de voûte de sa vie, l'endroit où il avait vécu seul pour la première fois, l'endroit où sa mère lui avait annoncé la mort de son père et sa succession à la tête de l'entreprise, l'endroit où il s'était toujours réfugié pour prendre les décisions les plus importantes de sa vie. Surtout, c'était l'endroit où il m'avait demandée en mariage. J'ai lâché là l'aspirateur, je me suis relevée en vitesse, j'ai frappé mes mains sur mon pantalon afin d'en faire tomber la poussière et j'ai couru jusqu'à l'ordinateur. L'allumer, s'asseoir dans le fauteuil, se calmer, attendre l'écran d'ouverture de session puis celui qui demande le mot de passe. Mot de passe. On y était. Fébrile, j'ai tapé les lettres une à une, sans omettre la majuscule à la première. Il ne me restait plus qu'à appuyer sur la touche « entrée ».

— Vas-y Margot, tu peux le faire, me suis-je murmuré à moi-même.

J'ai pressé le bouton. La fenêtre a disparu et celle de son bureau est apparue à la place. Bingo ! C'était le bon mot de passe. Aussitôt, ma respiration s'est détendue, tout comme mes muscles, et j'ai balayé la pièce du regard pour me rassurer. Aucune alarme ne s'est enclenchée, aucun barreau ne s'est dressé devant moi. Pas de système de défense. Donc aucune trace de mon intrusion. J'allais pouvoir violer à loisir l'intimité de mon mari. J'ai commencé par chercher dans ses documents personnels, mais à part ses dossiers d'entreprise ou tout ce qui se rattachait à son travail, je n'ai rien trouvé. Compte-rendus de réunions, tableaux de statistiques, histogrammes de production, comptabilités diverses, programmes de lancement, et ainsi de suite. Rien qui ne m'était d'une quelconque utilité. J'ai cherché dans son disque dur. Rien d'intéressant non plus. Quant au bureau, il ne contenait que des raccourcis de programmes et de pages d'ouverture ainsi que des documents Word et Excel à n'en plus finir. Pas de lettres, de petits mots ni de rendez-vous secrets. J'étais dépitée. C'est alors que j'ai aperçu le logo « Outlook » sur l'écran. Quelle idiote je faisais ! Je n'avais même pas pensé à aller voir sa boîte de réception. J'ai immédiatement cliqué dessus. Elle s'est ouverte sans besoin d'entrer un mot de passe. Deux mille huit cent trente-sept e-mails. Mon Dieu, j'allais y passer la journée ! Mais la plupart d'entre eux portaient l'en-tête « SRL » dans l'objet du message. C'était le nom de la société de Loïc. Ce que je cherchais ne pouvait pas se trouver dans ces emails-là, j'en étais sûre. Je les ai donc mis de côté. Il me restait un peu plus de huit cents emails à lire. Déterminée, je me suis préparé une grande tasse de thé noir pour tenir le coup.

Vers quatorze heures, j'avais englouti les huit cents emails et je n'avais rien trouvé. Dépitée, j'ai laissé l'ordinateur allumé et je suis allée fumer une cigarette. Il fallait que je pense avec ma tête et non que je fouille avec ma peur. Boîte email, rien, documents, rien, bureau, rien, disque dur, rien. Que restait-il ? Les favoris. Les sites Internet de rencontre. Quelle idiote ! J'ai posé là ma cigarette et je suis retournée dans le salon. Internet Explorer. Mes favoris. Ouvrir. Ils étaient classés par dossiers. SRL, CV, Concurrents, Marché, Transport, Assurances, Web amis, Vacances, Maison, DPV, Perso, Divers. J'ai tout de suite regardé dans le dossier « perso », mais ce n'était que des liens de sport, des résultats de matchs, des produits pour homme et autres de ce genre. « Divers » ne contenait rien de bien intéressant non plus. J'ai soupiré. Avais-je manqué un dossier ? « DPV » s'est alors imprimé en lettres multicolores sur ma rétine. Qu'est-ce que ça voulait dire ? J'ai cliqué dessus. Un lien vers

Vivastreet est apparu en premier puis un autre vers Meetic, un troisième vers Attractive World, et enfin d'autres vers des sites Internet que je ne connaissais pas, dont quelques-uns pornographiques. J'ai cliqué sur ces derniers. Silencieusement, j'ai prié pour tomber sur des vidéos de femmes se faisant prendre par plusieurs hommes ou des trucs de ce genre. Je m'entêtais à vouloir y croire. Mais il n'y avait aucun doute quant aux destinataires de ces sites. Seuls des hommes étaient présents sur les vidéos, grands, musclés, le sexe énorme, les yeux allumés de désir, la lèvre inférieure battante. Des hommes qui se sodomisaient mutuellement, se léchaient, se mettaient des doigts, se partouzaient, se reniflaient... J'ai refermé les pages en vitesse et j'ai serré les poings de toutes mes forces. Ça n'a pas suffi. Aveuglée de douleur, je me suis alors mordu la main gauche jusqu'au sang. Là, seulement, le calme est revenu dans mes veines.

Les sites pornographiques ouverts, j'ai entrepris d'aller visiter les sites de rencontres : Meetic et Attractive World. Je connaissais le premier pour y avoir ouvert un compte quand j'avais vingt-deux ans alors que j'étais à la recherche du « grand amour ». Quant au deuxième site, je ne le connaissais que de nom. Loïc y avait un profil dans les deux, classique, bateau, et qui aurait été tout à fait normal s'il n'avait pas coché la case « hommes » dans « préférences sexuelles ». C'est étonnant le pouvoir de l'esprit. On aurait pu spéculer qu'à force je m'y serais habituée. Mais non. Cela me soulevait toujours le cœur et m'ouvrait inlassablement les entrailles sur un gouffre profond de plusieurs mètres.

« Hommes ». Fallait-il que je me laisse pousser la moustache ? J'étais ridicule. J'étais pourtant prête à tant faire pour lui. J'étais en plein cauchemar.

J'ai parcouru les pages au hasard, celles de son profil, les photos qu'il avait choisies, sa maxime : « *Vivre au présent* », la description qu'il faisait de lui-même : « *Brun, 1,84 m, yeux noisette, silhouette musclée, PDG, Scorpion* ». À la question : « *Quelle est la partie de votre corps que vous préférez ?* », il avait répondu « mes mains ». Ses mains. Il n'avait pas le droit. Elles m'appartenaient. Une larme a coulé le long de ma joue. C'était ses mains qui me caressaient et celles de personne d'autre. Ses mains qui me touchaient, me portaient, me tenaient, me montraient, m'apprenaient, ses mains qui me frôlaient dans mon sommeil, qui me tenaient fermement la nuit par peur de me perdre, qui me préparaient du thé ou des friandises, qui me nourrissaient. Ses mains qui portaient le signe de notre amour, son alliance, notre mariage. Il n'avait pas le droit de les partager. Son corps, son sexe, peu m'importait en comparaison de ces deux petits miracles de vie. Douloureusement, je suis tombée de mon piédestal comme un passé abandonné et je me suis écrasée lourdement sur le sol. Je venais de perdre mes dernières illusions.

J'étais fatiguée. Fatiguée de chercher, fatiguée de trouver, fatiguée d'avoir mal. Pourtant, je continuais à fouiller dans chaque recoin des sites. Parce qu'il fallait que je sache. Peu importait la douleur que cela me causerait. Je devais connaître le visage de mon ennemi afin de mieux le combattre. Je devais savoir et apprendre. Même si je n'en avais pas envie.

147

Brusquement, j'ai douté de mon idée. Espérais-je réellement le changer ? Croyais-je vraiment qu'il cesserait d'aimer les hommes ? Étais-je folle à ce point ? Rien ne pourrait pourtant nous faire revenir dans ce cadre de vie idéale que j'avais cru bâtir. C'était trop tard. Le mal était fait. Cendrillon avait entendu les douze coups de minuit. Sa robe de bal était redevenue haillons, son carrosse citrouille, ses cheveux paille. Elle ne pouvait pas revenir en arrière, elle ne pouvait pas courir retrouver son prince charmant car le charme était rompu. Sans l'aide de sa marraine la fée, elle n'était plus rien qu'elle-même redevenue souillon. Ah si ! il y avait la chaussure. La fichue chaussure de Cendrillon ! Cela prouvait bien qu'on était en plein conte de fées car dans la réalité, la vie ne nous faisait pas de cadeau comme cela.

J'ai fermé les yeux d'affliction et je me suis avachie dans le fauteuil. Partir, loin d'ici, sur un bateau, en mer, le bercement des flots, l'air pur de l'océan, la caresse des vagues, l'évasion… J'ai rouvert les yeux. Je venais de me rappeler avoir lu « chat » sur l'un des onglets de la barre de menu. Aussitôt, je me suis redressée dans le fauteuil et j'ai parcouru l'écran des yeux avec fièvre à la recherche de l'onglet. Bingo encore une fois ! J'ai cliqué dessus. Une trentaine de conversations étaient enregistrées. La dernière datait du mois passé, soit exactement cinq jours après que j'eus découvert mon mari dans la cabane du fond avec Antoine. Où étais-je à ce moment-là ? Que faisais-je ? Dix-huit heures trente-huit. Il était encore au travail. Il avait tenu cette conversation sur son lieu de travail, dans son bureau, de sa place de patron.

J'en avais des sueurs dans le dos. J'ai cliqué sur le lien.

D'abord anodine, la conversation dérivait vite sur les désirs sexuels respectifs de chacun ainsi que sur leurs fantasmes. J'ai parcouru des yeux chaque mot avec une peur grandissante, jusqu'à ce que je tombe sur la phrase que j'appréhendais tant de découvrir : celle où mon mari exprimait son souhait du moment, c'est-à-dire celui de se faire « pomper à genoux avec un doigt dans le cul avant de prendre l'autre en doggy simple puis de se faire sodomiser à son tour à genoux sur le sol ».

J'ai fermé la page. Pas la peine d'en lire davantage, j'avais ce que je voulais, c'est-à-dire la confirmation des obsessions homosexuelles de mon mari.

J'ai quitté Internet, fermé la session, éteint l'ordinateur. Après, je me suis levée du fauteuil et je l'ai remis à sa place exacte. J'ai récupéré l'aspirateur que j'ai rangé dans le placard, j'ai défroissé le tapis, lavé le verre que j'avais utilisé et récupéré mon paquet de cigarettes qui traînait sur la table basse du salon. Ensuite, je suis allée dehors fumer, lentement, tout en suivant des yeux le voile gris qui s'envolait vers le ciel. Il faisait bon cet après-midi-là. L'été approchait. J'ai jeté un coup d'œil à ma montre. Dix-sept heures passées. Loïc serait bientôt là. Il rentrait plus tôt du travail depuis que je lui avais demandé de renvoyer Anna. Qu'allais-je faire ? Qu'allais-je lui dire ? Qu'allais-je taire ? Fumer tue, c'est ce qu'il y avait écrit sur le paquet. Vivre aussi. J'ai allumé une autre cigarette.

24

J'ai appelé Lorcha ce matin pour lui souhaiter son anniversaire. Elle m'a dit qu'elle organisait une soirée avec ses copains du collège pour fêter ça. Elle m'a également annoncé fièrement que, le lendemain, notre mère l'emmenait faire les boutiques au centre commercial afin de trouver « le » maillot de bain de ses rêves, à condition toutefois qu'elle le trouve en moins de trois heures. Le cas échéant, elle avait ordre d'acheter le premier qui lui irait. Cela me rappelait une même histoire, il y a bien longtemps… Ensuite, on a parlé de tout et de rien, de ses amies, de Pistache, de ses cours au collège et combien elle détestait chacune des matières qu'elle étudiait.

— De toutes les façons, m'a-t-elle précisé, je serai peintre donc ça ne sert à rien que je fasse des études.

— Tu as tort, tu as besoin d'une base solide en calcul afin d'être à même de vendre tes toiles sans te faire avoir. Un peintre est un artiste mais aussi un commercial.

— J'aurai un agent.

— Et l'histoire de la peinture ? La connaissance

151

de ce que les gens ont fait avant toi, n'est-ce pas nécessaire non plus ?

— Pff, on fait pas ça au collège.

— Au collège, non, mais à la fac, en histoire de l'art, oui.

Elle me promit d'y réfléchir. J'espérais qu'elle le ferait. Je ne voulais pas qu'elle arrête ses études. On n'allait nulle part de nos jours avec un simple baccalauréat en poche. Les artistes avaient besoin de connaissances pour être à même de se faire une place dans le monde et d'être respectés. Surtout, je ne voulais pas que ma sœur fasse comme moi : gâcher son avenir pour n'avoir pas fait les bons choix de formation professionnelle. D'ailleurs, je ne comprenais toujours pas pourquoi je m'étais enfermée dans cette voie de garage ni comment j'avais fait pour ne pas réagir. Il n'était pas trop tard pour rectifier le cours des choses, je le savais. Beaucoup de gens reprenaient des études la trentaine passée. En avais-je le courage ? Puis pour faire quoi ? Je n'étais même pas sûre de sortir de cette maison de fous un jour.

Lorcha m'a alors demandé comment j'allais. Je suis restée silencieuse un instant. Que répondre à une question aussi anodine qui pourtant ne l'était absolument pas dans mon cas ? Je ne voulais pas mentir à ma sœur, je ne voulais pas qu'elle sache non plus.

— Je vais mieux, ai-je simplement répondu.

Aussitôt, j'ai ajouté :

— Lorcha, vous viendrez me voir bientôt avec maman ?

Un bruit bizarre de succion a résonné dans le combiné du téléphone, puis celui d'une voix chuchotée. Immédiatement, j'ai compris que ma mère était à côté de ma sœur et qu'elle écoutait la conversation.

— Tu retrouves la mémoire ? m'a brusquement demandé Lorcha.

J'ai soupiré.

— Tu n'es pas obligée de demander à Lorcha de parler pour toi, maman. Tu peux me poser les questions directement, ça ne va pas te tuer.

Un silence s'est fait, suivi d'un bruit sourd. Le combiné changeait de main.

— J'avais peur de te poser la question, a répondu ma mère.

— Pourquoi ?

— Peur d'entendre la réponse.

J'ai marqué un temps. Je comprenais.

— Oui, je commence à retrouver la mémoire. Mais c'est encore très vague. Juste des souvenirs avec Loïc, à quoi ressemblait notre maison. Rien de plus.

J'ai croisé les doigts.

— Le week-end prochain, ils prévoient un grand soleil. Vous pourriez venir et on ira se promener dans le parc. Ce serait sympa, non ?

Ma mère a réfléchi un instant qui m'a semblé durer une éternité.

— C'est d'accord, a-t-elle finalement répondu. On viendra pique-niquer avec toi dimanche. Je t'appellerai samedi soir pour te confirmer ça.

Merci, mon Dieu!

— Je ferai un pudding aux cerises comme tu aimes tant. J'apporterai les couverts pour manger dans le parc, tu n'auras à t'occuper de rien, ma chérie, juste d'être en forme.

— OK. Mais j'irai quand même acheter des jus de fruits au petit commerce d'à côté. Tu as une préférence, Lorcha ?

— Jus de poire !

— Bien, Mademoiselle.

Un silence gêné s'est installé entre nous.

— Bon, prends soin de toi, ma fille, et à dimanche. Je t'appelle samedi soir pour te confirmer l'heure, d'accord ? Tu dînes toujours à dix-neuf heures trente ?

— Oui.

— Si je t'appelle à vingt et une heures, ça va ?

— Parfait.

— On dit ça, alors. Bisous.

— Bisous à vous deux.

J'ai raccroché, le cœur un peu retourné.

— « Ma fille »… Le mot a résonné dans ma tête un long moment durant, jusqu'à ce que son reflet s'abîme sur les murs de la pièce à force d'y être projeté et que son ombre disparaisse dans les recoins de mon cerveau.

Je me suis levée et j'ai quitté ma chambre pour me rendre à la cafétéria de l'étage. En pénétrant dans la salle, j'ai aperçu Solange assise à une table, une tasse de café fumante posée devant elle et un journal dans les mains. Je me suis approchée.

— Bonjour Solange.

Elle a levé les yeux vers moi, quelque peu étonnée de me trouver là.

— Bonjour Margot.

— Solange, est-ce que ce serait possible que je voie le docteur Lanar aujourd'hui, s'il te plaît ?

— Il est en rendez-vous le jeudi, tu le sais bien.

— Oui, mais j'ai vraiment besoin de lui parler.

— Je vais voir ce que je peux faire, mais je ne te promets rien.

— Merci.

— Je vais lui parler dès que j'ai fini mon café et je reviens te dire s'il est libre.

— Je serai dans ma chambre.

— Bien.

Je suis retournée à l'étage. Soudain, les pièces me semblaient ternes et sans vie. Je voulais y mettre de la couleur. J'avais envie d'ouvrir les fenêtres et de laisser le jour emplir l'espace afin qu'il y dépose ses rayons dorés. Je me suis assise sur le lit, j'ai contemplé ma chambre et j'ai réfléchi à ce que je pourrais y changer afin de lui rendre un peu de gaieté. Solange est arrivée au même instant.

— Il peut te voir ce soir avant le dîner, si cela te convient.

— C'cst parfait. Merci.

— De rien.

— Solange, ai-je aussitôt ajouté avant qu'elle ne s'en aille, il y a bien atelier de peinture, cet après-midi ?

— Oui. Mais tu n'es pas déjà inscrite à l'atelier de cuisine ?

— Si. C'est pour autre chose que je te demande ça.

Elle a levé un sourcil intrigué.

— On a le droit d'accrocher des tableaux et des photos aux murs de notre chambres, n'est-ce pas ?

— Oui.

— De la personnaliser ?

— Oui.

— De la peindre aussi ?

— Tu veux repeindre ta chambre ?

— Mieux, ai-je déclaré malicieusement, je voudrais que l'atelier de peinture se passe dans ma chambre aujourd'hui et qu'ils prennent mes murs comme support.

Elle a ouvert de grands yeux ronds. Je me suis expliquée.

— Je veux mettre de la couleur dans ma chambre. Je veux la rendre vivante en affichant sur ses murs les peintures des résidents.

Solange n'a pas mis longtemps à comprendre la portée de ce projet et les répercussions qu'il aurait sur la vie à l'hôpital.

— C'est une merveilleuse idée, Margot. Je vais immédiatement en parler à l'équipe médicale, puis à la responsable de l'atelier de peinture. Je reviens te dire ça tout à l'heure.

— D'accord. Je serai dans le jardin. Je vais profiter du soleil pour aller lire dehors.

Une pointe de tendresse s'est glissée dans son regard. Cela m'a touchée. Elle est partie en refermant doucement la porte derrière elle. Je suis restée un instant à contempler cette dernière, songeuse.

25

Je n'avais pas emporté de romans dans ma valise. Ou plutôt, personne n'avait pensé à me glisser un ou deux bons livres dans mes affaires. Ce ne devait pas être une activité compatible avec la folie à tendance suicidaire. Heureusement, le centre possédait sa propre bibliothèque : trois meubles de six étagères de livres chacun, alignés le long du mur de la salle de loisirs, au rez-de-chaussée du bâtiment. Je n'y avais jamais mis les pieds. Par total désintérêt. J'ai emprunté le premier roman que j'ai trouvé et je suis ressortie de la pièce en vitesse. J'étais une solitaire et la brochette de résidents qui croupissaient dans la salle devant un vieux jeu d'échecs ne me donnait pas envie d'engager la conversation.

Il n'y avait absolument personne dans le parc. Quel dommage pourtant de ne pas profiter de ce temps merveilleux. Nous étions en plein été, le soleil brillait magnifiquement haut dans le ciel et une petite brise fraîche caressait les visages dans un murmure sauvage. Je me suis assise au pied d'un chêne, tête à l'ombre, jambes au soleil, et j'ai remonté mon pantalon jusqu'aux genoux afin d'offrir à ma peau translucide un peu de nourriture solaire. À bien y regarder, mes jambes me faisaient de la peine. Blanches, irritées, sèches et pleines de bleus. Je les ai contemplées en leur promettant de prendre soin d'elles désormais. Ensuite, j'ai jeté un coup d'œil aux alentours. Absolument personne. Vraiment étrange. Je me suis adossée confortablement au tronc de l'arbre et j'ai ouvert mon livre.

*
**

J'avais fumé toutes les cigarettes sans même m'en rendre compte. C'est seulement quand ma main n'a trouvé que du vide sous ses doigts alors qu'elle fouillait dans le paquet que j'ai compris que je venais de me taper une dizaine de cigarettes à la suite. Mes poumons devaient souffrir le martyre. Sans plus de formalités, j'ai froissé l'emballage vide avant de le jeter dans la poubelle et je suis retournée dans la maison me doucher. Dix-neuf heures ont sonné à la grande horloge du salon. Hachis Parmentier décongelé et salade verte, voilà tout ce que j'avais été capable de préparer. J'ai mis le couvert et je me suis assise à la table en attendant Loïc.

J'avais déjà tourné le film du scénario désiré par mon mari de nombreuses fois dans ma tête. J'avais tout imaginé jusqu'au moindre détail. Tout à l'exception de la fin : lui à genoux sur le tapis. Cela, je ne pouvais m'y résoudre.

Une idée folle et complètement stupide m'a alors traversé l'esprit. Aussitôt, je me suis précipitée dans la chambre à la recherche d'un préservatif Je savais

158

qu'il y en avait toujours dans le tiroir de sa table de nuit, au cas où. Au cas où quoi, je n'étais pas très sûre, mais au cas où tout de même. Effectivement, j'en ai trouvé toute une boîte neuve. Un seul me suffisait. Le préservatif en main, je suis redescendue m'asseoir sagement. Dix-neuf heures quinze. Loïc est arrivé à dix-neuf heures trente. Mon cœur s'est arrêté quand j'ai entendu le bruit de la clé dans la serrure.

D'un geste usé, il a ôté sa parka et l'a suspendue dans la penderie puis il a déposé son attaché-case au pied de l'escalier. Ensuite, il a attrapé ses pantoufles et a troqué ses chaussures contre ces dernières. J'ai écouté chaque bruit avec appréhension.

— Margot ? a-t-il appelé.

Je n'ai pas répondu. Loïc s'est avancé dans le salon et m'a aperçue, assise droite comme un i sur ma chaise.

— Tu es là, s'est-il exclamé, soulagé. Pourquoi tu ne m'as pas répondu ?

Je l'ai fixé intensément sans desserrer les dents. Il s'est avancé vers moi.

— Margot, ça va ?

Je n'ai pas répondu. J'avais cessé de penser.

Je me suis levée et j'ai porté directement ma main à son sexe. Il a reculé, surpris. Je me suis collée à lui et j'ai marqué mon intention de deux yeux dominateurs. Il n'a pas bougé. Sans détour, j'ai défait sa ceinture, dégrafé sa chemise, baissé son pantalon à ses pieds et je l'ai masturbé doucement d'une main assurée. Il a fermé les yeux. Tout en continuant, j'ai saisi le préservatif dans ma poche, j'ai déchiré

159

l'emballage de mes dents et je lui ai mis. Surpris, il a rouvert les yeux.

— Qu'est-ce que tu fais ?
— Fais-moi confiance.

Lentement, je me suis agenouillée et je lui ai fait une fellation comme il le désirait, c'est-à-dire tout en lui mettant un doigt et en le faisant tourner. Je n'aimais pas ça. J'ai regardé le vide et je me suis concentrée sur ce dernier. Ne penser à rien hormis à l'action suivante. Me retourner, me déshabiller, le faire asseoir sur la chaise où je me trouvais juste avant, lui tourner le dos et lui présenter mes fesses puis l'obliger à me les écarter afin de m'aider à m'enfoncer en lui. Loïc a exécuté avec promptitude chacun des gestes que j'attendais qu'il fasse. Une fois en moi, il s'est même révélé étonnamment virulent, comme animé par un désir soudain de me posséder tout entière et de remonter dans les profondeurs de mon intérieur à la découverte d'un monde qui, jusque-là, lui avait toujours fermé ses portes. Sa fougue m'a blessée puisque, inconsciemment, je n'en étais pas l'objet. J'étais le pion de son scénario et j'étais la seule de nous deux à le savoir.

Je me suis retirée et je lui ai fait face. La jouissance tirait encore ses traits d'une ligne ascendante vers des sommets célestes. Les miens tombaient sans fin dans les abîmes de mon cœur. Je lui ai retiré le préservatif Mes mains pleuraient. Un silence s'est installé entre nous, lui essayant de comprendre pourquoi j'avais fait cela et pourquoi je le regardais à présent de ces yeux tristes et lucides, moi

rassemblant toute ma force intérieure pour ne pas
vaciller. Après quoi, j'ai déclaré d'une voix neutre :

— Mes compétences s'arrêtent là. Maintenant, je
vois enfin mes limites et je les comprends.

Il a froncé les sourcils. Je me suis expliquée :

— Je suis allée sur ton ordinateur. J'ai vu tes sites
et j'ai lu le scénario avec cet homme. Jonathan. Je ne
peux pas te donner la suite. Je ne peux pas te prendre
à genoux sur le sol. Je ne peux pas.

Un jour, j'avais demandé à ma mère comment on
faisait pour voler.

— Tu ne peux pas, m'avait-elle répondu. Les
oiseaux volent mais pas les humains.

— Pourquoi ?

— Parce qu'on n'a pas ce qu'il faut : on n'a pas
d'ailes, pas de plumes, on est trop lourd.

— Pourquoi ?

— Parce que c'est comme ça, ma chérie. Dieu
nous a faits ainsi. Il nous a donné d'autres choses : la
faculté de marcher, de parler, de penser, d'inventer
des choses. On a créé des avions, on vole plus vite
et plus loin que les oiseaux.

— Oui, mais moi, je ne veux pas voler plus vite et
plus loin, je veux voler comme eux.

— Tu ne peux pas, Margot. C'est impossible. Tu
peux faire plein d'autres choses, mais pas celle-là. Tu
ne peux pas voler.

— Alors je veux être un oiseau. Parce que je me
fiche de pouvoir faire plein d'autres choses quand la
seule chose qui m'intéresse, je ne peux pas la faire.

Ma mère avait souri.

— Dans une autre vie, peut-être, ma chérie.

161

Loïc me dévisageait avec inquiétude. Sa détresse à mon égard m'a inondé le cœur. Tendrement, je me suis approchée de lui et je lui ai caressé la joue.

— Dans une autre vie, mon amour…

Je suis partie dans la cuisine faire réchauffer le dîner.

*
**

— Margot ?

J'ai sursauté. Solange se tenait devant moi, le visage baigné de soleil.

— C'est d'accord pour ta chambre. Dominique, la responsable de l'atelier peinture, est totalement enthousiasmée par ton projet. Elle a même juré par tous les dieux, s'étonnant de n'y avoir jamais pensé elle-même. C'était très drôle à voir.

— J'imagine…

— L'atelier a lieu de quatorze heures à dix-sept heures. Ton atelier cuisine est de quinze heures à dix-huit heures. Est-ce que tu veux commencer avec eux et revenir voir avant la fin ?

— Non, je ne veux pas m'imposer. Je préfère les laisser peindre ce qu'ils veulent.

— D'accord, je vais le dire à Dominique et lui donner les clés de ta chambre.

— Merci.

— De rien, Margot.

Chaleureusement, elle a ajouté :

— C'est très beau ce que tu as décidé, tu sais. Et il fallait beaucoup de courage pour demander cela.

J'ai dit oui silencieusement, d'un mouvement de la tête.

— Tu sais, a-t-elle poursuivi, quand tu es arrivée ici, je ne voulais pas m'occuper de toi car ton cas était tellement déroutant. J'avais peur, en fait. Il faut dire aussi que tu avais un sacré tempérament. On s'en est pris des coups et des insultes avec toi ! Et jamais de répit sauf quand tu dormais. Mais tu es là, aujourd'hui, a-t-elle ajouté d'une voix douce, assise sereinement sous cet arbre, et je me demande comment c'est possible, quelle force tu as pu trouver en toi pour surmonter cette histoire aussi calmement. On savait tous que tu retrouverais le contact avec la réalité, un jour ou l'autre. Tu es loin d'être bête et loin d'être folle aussi. Tes insultes ne trompaient personne, hormis toi, sûrement. Mais je ne pensais pas que tu y parviendrais aussi vite et pas comme ça. Je m'étais dit qu'au contraire ta douleur augmenterait et ta rage aussi.

J'étais médusée. Immédiatement, Solange s'est rendu compte du caractère intime de ses mots. Gênée, elle a repris un ton professionnel.

— Bref, je suis heureuse de constater que ta mémoire s'améliore.

Je lui ai fait comprendre que moi aussi. Solange a tourné les talons en direction du bâtiment principal. Je l'ai suivie des yeux tout en me remémorant ses paroles. Ainsi, j'avais vu juste. Mon cas avait été effrayant au point que même l'infirmière en chef n'avait pas voulu s'occuper de moi. De quoi allais-je encore me souvenir ? Que cachait encore ma mémoire de terrifiant et d'interdit ? J'ai repris la lecture de mon livre.

26

Cet après-midi-là, j'ai eu du mal à me concentrer sur la préparation de mon pain aux noix. Sans cesse, je me demandais à quel mur ils en étaient, ce qu'ils avaient déjà peint, quelles couleurs, quels paysages, si c'était de l'art totalement abstrait ou si, au contraire, ils essayaient de reproduire fidèlement un décor d'enfance. Les questions se bousculaient dans ma tête tandis que mon pain cuisait dans le four.

Dix-huit heures ont sonné. J'ai balancé spatule et tablier et je me suis précipitée hors de la pièce afin de regagner ma chambre. Un bâtiment, deux étages et trois couloirs me séparaient de celle-ci. Je les ai franchis en quelques minutes à peine. Haletante, je me suis arrêtée devant ma porte de chambre, la clé à la main. Mon cœur battait la chamade. J'ai introduit la clé dans la serrure, j'ai retenu mon souffle et j'ai poussé la porte.

Ils avaient ouvert les rideaux en grand afin de permettre au soleil de pénétrer par les carreaux et de nimber ma chambre d'une douce lumière orange.

Je n'avais rien imaginé de particulier, hormis quelques vagues dessins de nature on ne peut plus ordinaires. En fait, je m'étais dit qu'ils peindraient probablement des visages, les leurs ou ceux d'enfants, avec des dents toutes écartées et des grands sourires. L'atelier de peinture n'était rien d'autre pour moi qu'un atelier d'amateurs, aussi doués en peinture que je l'étais moi-même en cuisine. Je m'étais lourdement trompée. J'ai ouvert de grands yeux émerveillés.

Du coin gauche du mur du fond jusqu'à l'extrémité droite de ma chambre s'étendait une frise qui occupait tout l'espace, du sol au plafond. Même les contours de ma fenêtre avaient été repeints. C'était la frise la plus incroyable que j'avais jamais vue, la plus belle aussi. Elle retraçait l'évolution humaine, de la naissance à la mort, allant de dessins représentant des femmes enceintes et des bébés sur ma gauche à des visages de femmes ridées et des vieillards à genoux devant Dieu sur ma droite. Entre les deux, les couleurs se succédaient dans tous les tons de l'arc-en-ciel et dans tous les moments de la vie, d'un enfant apprenant à faire du vélo sans les petites roues à un grand-père qui embrasse son petit-fils, en passant par une adolescente qui fait l'amour pour la première fois ou une femme qui pleure à genoux dans sa cuisine. Chaque dessin se perdait dans le suivant, sans discontinuité de couleurs, et les rares espaces qui ne contenaient pas de ces saynètes qui constituent la vie étaient décorés d'empreintes de mains noires et blanches. C'était magnifique. L'histoire de dizaines de personnes enlacées sur ces murs, le souvenir de tant de moments retracés ici, sans fard

ni tricherie. Des moments purs, peints avec les sentiments pour matériau essentiel.

Ma porte a grincé et quelqu'un est entré dans ma
chambre.

— J'ai demandé à chacun de peindre un souvenir
de sa vie particulièrement important pour lui. Ça a
donné ça.

Je me suis retournée. Dominique se tenait derrière
moi, les mains dans les poches, le regard perdu sur
la frise. Elle l'a parcourue du regard, de gauche à
droite, puis m'a fait face.

— Qu'est-ce que tu en penses ?

J'ai contemplé à nouveau l'ensemble des peintures
puis j'ai répondu :

— Je pense que c'est le plus bel hommage que
l'on puisse rendre à la vie.

Elle m'a souri.

— Je suis d'accord.

Nous sommes restées là toutes les deux, silencieusement, à regarder la frise encore et encore, jusqu'à
ce que toutes les scènes se fondent totalement en
nous et que nos corps soient comblés d'un sentiment mêlé de plénitude et de bien-être.

27

— Entrez Margot.

J'ai poussé la porte timidement et je suis entrée dans la pièce. Le docteur Lanar était assis derrière son bureau, ses grosses lunettes de vue ajustées sur son nez. Il m'a adressé un sourire chaleureux.

— Je finis de remplir ce dossier et je suis à vous.

Je me suis assise sur la chaise qui faisait face à la table et j'ai croisé les bras pour diminuer le stress que je ressentais. Il remplissait un formulaire. D'admission, je supposais.

Le docteur Lanar était grand, avec des mains larges et fortes, une ossature marquée et le visage durci par le temps. Il me faisait penser à mon grand-père, dont la peau avait pris l'odeur et la couleur du soleil à force de passer ses journées sur son tracteur. Je n'avais jamais remarqué tout cela auparavant, d'ailleurs je ne lui avais jamais prêté la moindre attention.

Je haïssais ce psychologue que je refusais d'entendre. Il était mon docteur, ma bête noire, mon empêcheur de m'évader de ce centre abominable. Je l'imaginais démon dans ma tête, pervers, masochiste et heureux de la frustration qu'il provoquait en moi, satisfait de me brimer et de me réduire à l'état de petite chose sans pensée propre. Chiffon sale que l'on jette à la poubelle tout en se moquant de lui. Or, il n'était rien de tout cela. Bien au contraire. Ses yeux étaient doux et pas la moindre once de méchanceté ne s'y reflétait. J'avais rêvé tellement d'horreurs à son propos. Finalement, c'était quelqu'un de bien. Tout simplement.

— Voilà, je suis à vous, Margot.

J'ai sursauté. Les battements de mon cœur se sont accélérés.

— En fait docteur, ai-je balbutié, je commence à me souvenir de ma vie avec Loïc, de tout ce qui s'est passé depuis que je l'ai rencontré. On en a parlé la dernière fois, vous et moi.

— Oui.

— Et je vous ai raconté ce qui me revenait et aussi d'autres choses.

Il a fait oui la tête.

— Mais pas tout.

J'ai marqué un temps d'arrêt avant de reprendre :

— Je ne vous ai pas tout dit parce que je n'y arrivais pas et parce que je sais que ma mémoire cache des choses beaucoup plus graves. Or, tant que je ne me souviendrai pas de ces autres choses, je sais que je ne pourrai pas parler des premières parce que ça me fera trop peur. Même si je sais que ces choses ne sont rien par rapport aux autres qui suivront... Mais pour l'instant, ce sont elles qui sont dans ma tête et c'est à elles que je pense et du coup, je me dis que les autres doivent être horribles parce que celles-là ne sont pas assez graves pour que les infirmières aient eu peur de moi au départ, et donc je me dis que les autres choses dont je ne me souviens pas encore sont forcément bien pires et ça me fait peur tout ça, en fait.

J'ai inspiré longuement afin de reprendre mon souffle. J'avais parlé d'un trait sans m'arrêter.

— Margot, tout cela me paraît un peu confus.

— Oui.

— Ce que vous essayez de me dire, c'est que vous avez compris que votre mémoire cachait des événements plus douloureux que ceux dont vous vous souvenez actuellement et que vous avez peur de vous en souvenir, c'est cela ?

— Oui et non. Oui, je sais que je vais découvrir quelque chose de terrible que j'ai fait. Mais non, je n'ai pas peur de le découvrir. Je me sens prête à ça.

J'ai réfléchi un instant.

— Ce dont j'ai peur, c'est d'en parler.

— Hum…

— Oui, vous voyez, les gens me détestaient quand je suis arrivée ici car j'étais folle, je disais des horreurs et je frappais tout ce qui se trouvait à ma portée. Une vraie sauvage. Mais cela ne me dérangeait pas puisque tout ce que je voulais, c'était mourir ou me faire du mal. J'en avais besoin. J'avais besoin de me détruire et de me faire souffrir.

Je l'ai alors regardé droit dans les yeux et je lui ai dit d'une voix assurée :

— Mais ce n'est plus le cas. Je n'ai plus envie d'avoir mal. Je n'en ai plus besoin, je dirais même. Je me souviens, et malgré tout ce qu'il y a de douloureux dans ces souvenirs, je vais bien. Je mange, je souris, je parle aux gens, je suis gentille. J'ai même demandé à l'atelier de peinture de faire une fresque dans ma chambre.

— Oui, Solange est venue m'en parler.

— Il faut que vous veniez la voir, docteur, elle est magnifique, ai-je avoué avec des yeux émerveillés.

— J'irai la voir, a-t-il promis. C'était une très bonne idée de votre part, en tout cas.

— Merci.

Aussitôt, mon inquiétude est revenue.

— Mais c'est là le problème, justement, ai-je soupiré tout en m'enfonçant dans la chaise.

— Quel problème, Margot ?

— Celui d'être de nouveau gentille et heureuse pour un rien, comme ça, de temps en temps. De sourire et que les gens me sourient en retour. Tout le monde me regarde avec tendresse, comme si je n'avais jamais été ce monstre d'il y a quelques mois.

— Qu'est-ce qui vous dérange dans cela ?

— L'illusion. Parce que j'étais bien ce monstre, c'était moi qui disais ces horreurs. Même si j'étais bourrée de médocs, j'étais la bouche qui parlait. Pourquoi les gens l'ont-ils oublié ? Ils disent que je suis « la nouvelle Margot », mais il n'y a pas de nouvelle Margot. Je suis la même, sauf que j'ai réussi à dépasser ma douleur et à me maîtriser. Mais eux, on dirait qu'ils font semblant. Alors, ça me donne envie de me recroqueviller dans ma coquille. Parce que je sais que c'est faux tout ça.

Je me suis tue. Le docteur Lanar a réfléchi un instant.

— Est-ce là le fond de votre embarras, Margot ?

J'ai grimacé.

— Non.

— Où est-il alors ?

J'ai fermé les yeux. Quand je les ai rouverts, mon teint devait être devenu livide.

— Je vois ma mère et ma sœur dimanche.

— Ça fait longtemps que vous ne les avez pas vues, n'est-ce pas ?

— Oui.

— Et vous voudriez leur montrer une Margot parfaitement guérie. La Margot qu'elles connaissaient et qu'elles aimaient avant toute cette histoire.

— Oui.

— Mais vous ne pouvez pas parce qu'au fond de vous, vous savez que ce ne serait pas honnête vis-à-vis d'elles.

— Oui.

— Mais surtout… a-t-il commencé, puis il a attendu pour que je continue sa phrase et que je lui avoue ce qui m'effrayait tant.

— Surtout, ai-je peiné à enchaîner, surtout, je crois que c'est la dernière fois que je vais les voir et ça me fait mal.

— Pourquoi croyez-vous cela ?

Des larmes ont embué mes yeux déjà mouillés par cette confession. J'ai cligné des paupières afin de chasser mes larmes. Mais cela n'a pas marché. J'ai enchaîné :

— Les gens me parlent et sont gentils avec moi. Et j'en suis très heureuse, vous savez. Je ne fais pas semblant de rire et d'être agréable avec tout le monde. Parce que je le sens vraiment en moi que je suis heureuse. Je le sens dans mon ventre, dans ma

173

tête, dans mon corps, partout. Mais je sais aussi que c'est temporaire. Comme une mi-temps au milieu d'un match de foot. La première partie du match, c'était Margot la folle qui disait des horreurs et qu'on enfermait dans sa chambre. Maintenant, il y a la mi-temps, la Margot que vous voyez, douce, gentille, que tout le monde apprécie en se félicitant de sa « guérison ». Mais moi, je sais que je ne suis pas guérie, que cette Margot actuelle n'est qu'une étape. Car la deuxième partie du match va bientôt commencer, et ce sera terrible.

— Pourquoi terrible, Margot ?

— Parce que les gens vont comprendre qu'ils ont commis une erreur et qu'ils se sont laissés berner par ce qu'ils voient actuellement. Ils vont se dire : « J'y avais tellement cru, c'est triste ». Ils vont même s'en vouloir d'avoir oublié le monstre que j'étais au départ. Et quand je partirai les menottes aux poignets, ils me regarderont passer en murmurant sur mon passage des « oui, de toute façon, on le savait tous que cela finirait ainsi même si on y a cru pendant un instant. Elle a essayé de nous faire croire qu'elle était une honnête personne mais au fond, elle est bien le monstre que l'on pensait qu'elle était. » Et moi, je me dirai qu'ils ont raison, docteur.

— Je croyais qu'il n'y avait qu'une seule Margot ?

— Oui, il n'y en a qu'une seule. Et celle qui est gentille aujourd'hui est aussi celle qui a fait des mauvaises choses avant et qui sera punie pour cela. Dès que j'aurai retrouvé la mémoire.

— C'est ce que vous pensez ?

— C'est ce qui se passera et vous le savez bien. Je

ne suis pas en prison parce que j'ai été déclarée folle. Et amnésique. Mais bientôt, ils vont savoir et on viendra me chercher.

— Margot, pourquoi dites-vous que vous allez aller en prison alors que vous ne savez pas ce que vous avez fait ? Que croyez-vous avoir fait ?

J'ai hésité. Devais-je lui rapporter les paroles de Baptiste ? Devais-je lui poser ouvertement la question ? Je ne m'en sentais pas capable. Je voulais savoir, je ne pensais qu'à cela depuis des jours. D'un autre côté, je ne m'en sentais pas prête. Si Baptiste avait raison, j'avais d'abord besoin de m'en souvenir par moi-même. Besoin de voir dans ma tête la réalité des faits et non la réalité déformée par la bouche d'une tierce personne. J'ai donc opté pour l'insinuation forcée.

— Vous le savez ce que j'ai fait, n'est-ce pas ?

— Il est vrai que je détiens certaines informations sur votre passé.

J'ai soupiré.

— Donc ça veut dire oui.

— Ça veut dire que je suis médecin et que je fais du mieux que je peux pour vous aider.

— Merci.

— Votre gratitude me touche, mais je n'attends rien de la sorte de votre part. Je veux réellement vous voir aller mieux.

— Je vais mieux, vraiment. Je suis heureuse de ne plus être celle que j'étais en arrivant ici car c'était fatigant toute cette colère en moi. Puis je vais retrouver ma mère et ma sœur dimanche et ça, c'est merveilleux. J'attendais tellement de les voir, j'en souffrais atrocement de ne plus les entendre, vous savez. Vraiment.

Ma peur revint sur-le-champ.

— Docteur, j'ai une question à vous poser tout de même et je voudrais que vous me répondiez sincèrement.

— Je réponds si je peux répondre mais quand je réponds, c'est toujours sincèrement, Margot.

— Bien. Alors voilà : j'étais venue vous voir pour que vous m'aidiez à comprendre pourquoi je me sens soudainement si heureuse depuis que mes souvenirs reviennent alors que ces souvenirs n'ont rien de gai, bien au contraire. J'ai raté ma vie de couple et même ma vie tout court, or on dirait que plus je le comprends, mieux je me sens.

Il allait répondre mais je fus plus rapide que lui :

— Non, à présent je ne veux pas que vous me donniez une explication. Je sais pourquoi.

J'ai précisé :

— Je sais pourquoi je me sens si légère et je sais que je vais me sentir de plus en plus légère au fur et à mesure que je me rappellerai.

— C'est vrai.

— Ma question est donc ailleurs.

— Quelle est votre question, Margot ?

— Je pense avoir tué quelqu'un. Je ne me rappelle pas encore ni qui ni quand, mais je le sens au plus profond de moi. Je pense que vous le savez également, mais que vous attendez que je m'en souvienne, ai-je ajouté en le fixant du regard. Quelqu'un que j'aimais ou que j'aurais dû aimer. Ma mère le sait, ma sœur aussi, j'en suis persuadée. En bref, tout le monde à part moi. Ce qui me fait me sentir très mal. Donc que devrai-je faire quand je les verrai ?

— Vous voulez dire, que devez-vous leur faire savoir sur votre état mental ?

— Oui. Est-ce que je dois leur dire que je me souviens de certaines choses mais pas de tout, ou est-ce que je dois taire mes souvenirs ? Parce que si je leur dis que je me souviens de certaines choses, soit elles vont vouloir savoir quoi parce qu'elles-mêmes ne savent pas réellement ce qui s'est passé, soit elles ne viendront plus jamais me voir parce qu'elles savent ce que j'ai fait et qu'elles ne peuvent pas me le pardonner.

— Je croyais que vous étiez sûre qu'elles savaient ce qui s'était passé ?

— Je suis sûrc qu'elles savent ce que j'ai fait et donc la raison de ma folie subite, mais je ne sais pas si elles savent ou non ce qui s'est exactement passé, ou si elles n'ont fait que l'entendre de la bouche de quelqu'un d'autre.

— C'est-à-dire ?

— Mon mari, par exemple. Pourquoi n'est-il jamais venu me voir ? Ce que j'ai fait est-il odieux et impardonnable à ce point, ou se sent-il coupable de quelque chose ?

— Qu'en pensez-vous ?

J'ai baissé la tête, distraitement.

— Je n'en sais rien.

— Je pense, pour revenir à votre question de départ, a repris le Dr Lanar, que vous ne devez pas mentir à votre famille. Elle est là pour vous aider. Acceptez donc de leur tendre la main en signe d'appel. Quoi que vous ayez fait, vous restez la fille

177

de votre mère. C'est un lien très fort, indestructible à mon sens. Parlez-lui de vos peurs, de votre état psychologique actuel, de vos pensées, de vos doutes, de vos souvenirs, même les plus vagues et les plus imprécis.

— Et si elle me repousse ?

— Laissez-lui du temps, allez-y en douceur. Mais elle ne vous repoussera pas.

— Comment en êtes-vous si certain ?

Il a marqué une pause avant de me répondre :

— Elle m'appelle souvent pour me demander de vos nouvelles, vous savez.

Une porte s'est brisée en moi, une muraille en fer forgé qui s'était construite pour me protéger de toute invasion barbare et qui avait parfaitement tenu son rôle jusqu'à présent. Je l'avais crue infranchissable. Pourtant, face à la pire des invasions, elle venait de céder et de se rompre lamentablement sur l'écume de mes sentiments filiaux. Ma mère demandait régulièrement de mes nouvelles. Ma mère.

Le docteur Lanar m'a donné un mouchoir. Je l'ai attrapé en le remerciant du regard. Ensuite, il s'est levé, m'a invitée à faire de même puis m'a tendu une main que j'ai serrée fortement.

— Allez dîner, Margot, puis reposez-vous tranquillement ce soir. Lisez, faites des perles, du tricot, ce que voulez, mais quelque chose de calme qui vous détende, d'accord ?

— Oui.

— On se voit demain pour votre séance habituelle.

— Oui.

— Bonne soirée, Margot.

— Oui.

Je suis partie d'un pas lent, encore chamboulée par nos derniers échanges. Je ne l'ai même pas entendu me dire qu'il était heureux que je sois venu lui parler.

28

J'avais décidé d'apprendre tout ce qu'il y avait à savoir sur la sexualité afin d'être à même de combler mon époux. Après tout, sans doute était-ce entièrement ma faute s'il allait voir ailleurs. Hormis les positions habituelles et les préliminaires d'usage, j'avais longtemps cru avoir un certain savoir-faire mais, tout compte fait, je ne connaissais que peu de choses et il y avait probablement des possibilités infinies que j'ignorais. Pas étonnant, donc, qu'il me trompe. J'étais entièrement coupable.

J'ai écrémé les sites Internet pendant plusieurs jours à la recherche de toute information bonne à prendre sur le sujet. Le quatrième jour, j'ai compris qu'un apprentissage théorique ne me suffirait pas. Il fallait que j'apprenne avec quelqu'un. Mais qui ? J'ai réfléchi à la question toute la matinée, jusqu'à ce que l'unique solution envisageable m'apparaisse clairement. Le soir même, tandis que Loïc dormait paisiblement dans la chambre, je me suis connectée sur un site d'échangisme et j'ai noté les coordonnées du rendez-vous intime organisé le lendemain. Au réveil, j'ai annoncé à mon mari que j'allais passer la soirée chez ma mère. À dix-neuf heures, j'ai quitté le domicile conjugal et je n'y suis revenue que le lendemain matin.

Ma première partouze. Il ne m'en reste que des souvenirs vagues que je ne raconterai pas ici. J'ai effacé tout le reste dès que mon cerveau me l'a permis. Pour tout oublier : les odeurs, les gémissements, les gens, les lieux, les matières, les couleurs, les cris, les rires, les goûts, les pleurs, l'humiliation, la douleur, la souffrance, la colère, le dégoût, la honte…

J'y suis allée parce que je devais y aller. Le reste ne comptait pas.

Le soir de mon retour, Loïc est rentré plus tôt que prévu car un de ses rendez-vous avait été annulé. Je lui ai préparé une tasse de thé vert, comme il aimait en boire depuis que le médecin lui avait annoncé qu'il avait du cholestérol. Il m'a remerciée et l'a bue à mes côtés dans le salon tandis que je recousais un chemisier déchiré.

On a dîné, ensuite Loïc a allumé la télévision afin de regarder les informations. C'était étrange. Assise à côté de lui, je ne me sentais absolument pas coupable, comme si tout ce qui s'était passé la veille appartenait à une autre vie. Même ces derniers mois semblaient flotter dans un espace-temps parallèle. Il n'était pas cet homosexuel refoulé, je n'étais pas cette femme adultère qui péchait pour faire plaisir à son mari, nous n'étions pas ce couple en perdition, tout allait pour le mieux dans le meilleur des mondes. Merci Voltaire.

J'avais décidé de mettre en pratique mon savoir-faire nouvellement acquis dès le soir même. De ce fait, lorsque Loïc est sorti de la salle de bains entièrement nu, comme à son habitude, je me suis plantée devant lui et je me suis déshabillée à mon tour. Il m'a regardée faire, heureux. Amoureusement, j'ai posé mes lèvres sur les siennes dans un long baiser, puis je l'ai allongé sur le ventre, contre le lit. Calmement, je me suis alors assise sur ses fesses, les jambes de part et d'autre de son corps, et j'ai entrepris de le masser entièrement. Le dos d'abord, ainsi que les épaules, puis les bras, le creux des reins et enfin les fesses. Après, comme si l'envie m'était venue subitement, je lui ai demandé de se mettre à quatre pattes. Il s'est exécuté.

Je l'ai léché jusqu'au plus profond de son intimité, comme jamais je ne l'avais fait jusqu'à présent et comme je l'avais si bien appris la veille. Son sexe, ses bourses, ses fesses, son anus. J'ai titillé chaque partie de son corps de la pointe de ma langue jusqu'à ce qu'il n'arrive plus à contrôler sa jouissance et qu'il s'écroule sur le lit, fou de plaisir.

Immédiatement, éveillé par ce désir, Loïc s'est redressé et m'a pénétrée langoureusement. Il m'a explorée jusqu'au fin fond de mes souterrains vaginaux. J'ai joui plusieurs fois, les poings fermés dans les plis des draps afin de contenir les soubresauts de mon corps, jusqu'à ce qu'un cri animal retentisse au fin fond de ma gorge et emplisse l'espace alentour. Alors seulement, il a poussé en moi une dernière fois afin de jouir à son tour dans mes chairs et de s'étaler de tout son long sur mon corps, rompu. Heureuse, j'ai posé mes mains dans ses cheveux et je les ai caressés avec amour. Mon mari, c'était mon mari, et je l'aimais plus que tout.

Le lendemain, en fin de matinée, j'ai trouvé un message de Loïc sur le répondeur. Celui-ci disait : « Bonjour ma chérie, tu dois être en train de jardiner. Ne m'attends pas ce soir, j'ai une réunion puis un dîner pour le travail. Je rentrerai tard. Profite de ta soirée pour aller voir tes amies ou ta mère. Je t'embrasse. Je t'aime. À demain. »

J'ai écouté le message, une fois, deux fois, trois fois, quatre fois, jusqu'à être capable de reproduire chaque intonation de sa voix. J'étais six pieds sous terre. Pire. Je me trémoussais avec le diable dans un jeu de séduction qui m'entraînait parmi les autres âmes damnées au fin fond des entrailles terrestres. Je lui avais donné du plaisir et il allait aussitôt le partager avec ses amis les tantouzes. J'étais furieuse. Dépitée. Abusée. Trompée. Déconsidérée. Traînée dans la boue. Pourquoi ne venait-il pas assouvir ses pulsions sexuelles avec moi au lieu d'aller chercher le réconfort chez je ne sais quel pinpin de service ? Avec moi, sa femme ? C'était mon rôle, mon devoir conjugal. Non, mon mari me repoussait dans son intimité. Il m'offrait son corps et pénétrait le mien mais il m'interdisait l'accès à ses désirs les plus profonds. Il n'avait pas confiance en moi. Je n'étais pas digne de ses fantasmes.

Anéantie par la douleur, je me suis effondrée dans le fauteuil du bureau, la tête reposée maladroitement sur le côté. Je n'étais pas allée assez loin, là était le problème. Je lui avais certes apporté du plaisir, mais du plaisir hétérosexuel. Pas homosexuel. Ce n'était pas ce qu'il voulait. Ce n'était pas ce dont il avait besoin. Immédiatement, j'ai allumé l'ordinateur et j'ai pianoté sur le clavier à la recherche d'un site de rencontres gay ou mixtes hétéros-homos. Plus d'une centaine de sites étaient référencés à Paris. Au hasard, j'ai cliqué sur une page. Un lien vers le site « Espace carré rouge » s'est affiché. J'ai cliqué de nouveau. La danse des annonces roses (rouges, en vérité) a repris. Je les ai lues une à une, jusqu'à tomber sur celle qui semblait convenir : un rendez-vous homosexuel anonyme sur une péniche privée, au quai de la Rapée à Paris, le soir même. Je me suis inscrite sur le site, j'ai ajouté mon pseudonyme à la liste des participants et j'ai noté l'adresse et le numéro de téléphone sur un bout de papier. Ensuite, j'ai éteint l'ordinateur et je suis retournée jardiner. Cette fois-ci serait la bonne.

29

Finalement, il y a eu de nombreuses « bonnes fois », mais aucune ne fut *la* bonne.

J'avais adopté un pseudonyme sur Internet : « la Silencieuse ». Les gens croyaient que c'était en rapport avec mes orgasmes discrets. Or, je ne faisais qu'état de mon incapacité à prononcer le moindre désir ou la moindre volonté lors de l'acte sexuel. Je disais oui à tout, incapable de décider de mes envies mais, surtout, désireuse de tout apprendre pour satisfaire mon époux.

Dans ma tête, je notais les techniques, je mémorisais les positions, les astuces, accessoires et autres aides en tout genre. J'apprenais comme une bonne écolière et, rentrée à l'hôtel (à chaque fois, je faisais croire à Loïc que je dormais chez ma mère), je retranscrivais tout dans un cahier pour ne rien oublier. Mon cahier de sexe. La seule matière qu'il m'aurait réellement été utile d'étudier au lycée. Loïc ne remarquait rien, sinon le fait que mon appétit sexuel avait décuplé au cours de ces dernières semaines. Il portait cela au compte de ma peur de le perdre, couplée à celle de l'imaginer ayant des rapports sexuels avec d'autres hommes. Il ne voyait pas que je tombais… Mon désespoir creusait des rides de plus en plus profondes sur mon visage tandis qu'il satisfaisait sa nouvelle appétence sexuelle avec encore plus de vigueur. Je me noyais seule dans mon labyrinthe, et plus je me débattais, plus l'eau pénétrait avec force dans mes poumons.

Pourquoi ? Et pourquoi restais-je muette face à cette danse macabre ?

Je n'arrivais plus à faire l'amour sans culpabilité ni souffrance. Alors je m'enivrais. Je fixais mon regard dans le liquide trouble de l'alcool pour ne pas voir la réalité de la situation. Un petit verre, rien de méchant, de quoi m'aider à franchir la porte. Un doigt de cognac, une larme de porto, un verre de whisky, une coupe de champagne, une dose de tequila, une gorgée de rhum, une bouteille de vin rouge. J'ai cessé de compter. Ce n'était plus la peine.

Finalement, épuisée et à bout de nerfs, j'ai décidé de suivre un stage intensif de sexualité pour mettre un terme à ces « apprentissages ».

Un soir j'ai annoncé à Loïc que j'allais passer la semaine chez ma mère afin de me reposer.

— De quoi ? a-t-il demandé.

— De ces derniers temps, ai-je répondu vaguement. J'ai besoin de me reposer, c'est tout.

Il n'a rien ajouté.

Mes bagages faits, nous avons dîné dans la salle à manger avant de regarder un western sur une chaîne du câble. Une heure et demie passée à voir des

Indiens se faire massacrer et des Blancs se faire scalper en retour. À croire que Dieu a vraiment conçu l'homme et la femme de deux manières parfaitement différentes. Alors qu'une fois le film terminé je n'avais qu'une envie, celle de vomir mes tripes, Loïc s'est jeté sur moi et m'a littéralement baisée à la cow-boy. J'étais sidérée. En y repensant, je me demande si c'est réellement à moi à qui il a fait l'amour ce soir-là ou si c'est à l'être de condition inférieure qui se tenait à ses côtés.

J'ai quitté la maison le lendemain matin tandis qu'il rejoignait son bureau. Dans une semaine, mon amour, dans une semaine, je te reviendrai nouvelle et parfaite sexuellement parlant. Tu n'auras plus jamais à te plaindre de moi. Tu ne seras plus jamais obligé d'aller chercher ailleurs.

30

Sept jours. C'était donc le temps que je m'étais accordé. Sept nuits plus précisément, pour faire de moi une nouvelle épouse, une femme caressant et offrant du plaisir à un homme comme le ferait un autre homme. J'ai écumé les bars gays, les lieux de rencontre et d'échangisme de tous les genres, les boîtes sadomasochistes, les réunions clandestines, les partouzes en sous-sol et les films de X amateurs improvisés dans les garages parisiens. J'ai pris des notes, encore et encore, jusqu'à noircir la totalité des feuilles de mon cahier. La journée, je les relisais, page après page, notant sur un second carnet tout ce que je devais absolument apprendre par cœur : les concepts de base de la pénétration anale, les techniques de massage qui décontractent les sphincters et comment aider mon partenaire à relâcher ces deux muscles afin que le rapport anal se fasse sans douleur, également comment appliquer le lubrifiant par des jeux et des caresses sensuelles qui favorisent la relaxation, etc.

Attentivement, j'avais écouté tout ce qu'il y avait à savoir sur le sujet et j'en avais retenu l'essentiel :

qu'une fois que le pénis avait pénétré au-delà des deux sphincters, il atteignait le rectum, lequel, bien que vaste et insensible à la douleur, constituait une zone érogène extraordinaire, à condition que le pénis ait été engagé sous un angle favorable. Ainsi, pour le partenaire passif, la pénétration était la source d'un plaisir immense grâce à la stimulation de la prostate tandis que pour le partenaire actif, le massage de la prostate occasionnait une jouissance qui pouvait être intense, prolongée et augmentée par la contraction spasmodique de l'anus autour de son pénis. J'avais vingt sur vingt à l'examen théorique. Il me restait à convaincre mon mari.

Je suis rentrée chez moi le lundi suivant en fin de matinée. Loïc m'avait laissé un mot sur la table de la cuisine : « *Bonjour chérie, hâte de te retrouver ce soir. Je t'aime. Lo.* » J'ai fondu en larmes. Éperdue et desséchée par ces jours passés à rapporter des actes que j'avais haïs au plus profond de moi-même, je me suis agenouillée sur le sol, les mains jointes et tendues vers le ciel, implorant un secours divin.

— Mon Dieu, aidez-moi, dites-moi que je n'ai pas fait tout cela pour rien, que mon mari me reviendra bel et bien et pour toujours. Dites-moi que j'ai bien agi, que je suis une bonne épouse et que ces horribles nuits ne seront qu'un abominable cauchemar que j'oublierai bien vite ! Rendez-moi mon époux, délivrez-le de ses penchants homosexuels afin que je le retrouve tel que je l'ai connu et aimé. S'il vous plaît.

Tremblante, je me suis affalée sur le sol comme un animal battu à mort. De la salive s'échappait de la commissure de mes lèvres, se répandant sur mon cou jusqu'au col de mon chemisier. Peu m'importait. En cet instant, je n'étais plus qu'un morceau de chair morte prête à être découpée et livrée à la boucherie.

C'est la sonnerie du téléphone qui m'a ramenée à la raison. Lentement, je me suis relevée, j'ai essuyé le filet de bave qui avait séché sur ma joue et j'ai couru décrocher le combiné.

— Allô ?

— Ah ! tu es rentrée, ma fille. Alors, raconte !

J'ai soupiré. Évidemment, la commère de service était déjà à l'écoute.

— Raconter quoi ? ai-je demandé pour gagner du temps.

— Ton voyage secret, voyons !

— C'était bien.

— Mais non, idiote ! Je veux que tu me dises ce que tu es allée faire. Tu me l'avais promis.

J'ai réfléchi un instant. Effectivement, je me souvenais lui avoir promis de lui raconter ce que je partais faire de si mystérieux pendant une semaine en échange de son silence envers Loïc, si jamais celui-ci l'appelait. C'était la condition qu'elle avait posée. Elle mentirait à mon mari si je lui avouais ce que j'allais faire. J'ai soupiré. Je ne savais pas quoi dire. Il fallait que je gagne du temps. Finalement, j'ai déclaré :

— Promis, je te le dirai bientôt, quand ma surprise sera prête. Mais pas maintenant !

Ma mère a exprimé son mécontentement quant à ma réponse, a tempêté contre cette fille ingrate, puis, en fin de compte, a accepté. Nous sommes restées un moment au téléphone, à bavarder de choses et d'autres, après elle a raccroché car elle devait mettre un gigot à cuire. J'ai reposé le combiné, songeuse, et je suis allée me faire couler un bain.

J'avais parfumé l'eau de senteurs de noix de coco et d'huile essentielle ylang-ylang. J'avais également branché la chaîne hi-fi et mis un cd de Dido, le dernier. Ses chansons m'apaisaient comme elles seules arrivaient à le faire. Légère, je m'envolais alors dans un nuage de sérénité vers des monts plus propices au calme et au repos. La baignoire emplie et prête à m'accueillir, je me suis déshabillée fébrilement devant la glace, appréhendant de retrouver ce corps que j'avais exposé aux yeux de tous pendant une semaine et caché à moi-même pendant ce même laps de temps. Une fois nue, j'ai grimacé. Je me trouvais maigre à faire peur. Mes hanches se dessinaient pitoyablement, creusant mon bassin de deux fossettes tristes. Mes cuisses semblaient également flasques et perdues dans ce trop-plein de peau qui pendait pitoyablement sur mes genoux tandis que mes seins, usés, présentaient deux mamelons rouge vif et secs. Avais-je toujours eu cette apparence ou n'était-ce que le contrecoup de mes ébats passés ? M'étais-je si peu occupée de moi-même, absorbée que j'étais dans mon apprentissage sexuel ? Depuis plus de dix ans, chaque jour, mon corps avait été massé, caressé et enduit de crème par mes mains ou par d'autres mains, cajolé, observé et bichonné avec amour et bienveillance. Cette routine avait pris fin six jours plus tôt, brisant un cercle de soins vieux de plus de

194

quatre mille jours. Je me suis demandé ce que cela me faisait mais rien n'est venu emplir mon vide intérieur. Ma tête était aussi creuse que mon corps semblait l'être. Sans plus de cérémonie, j'ai enjambé la baignoire et je me suis allongée dans l'eau chaude et huileuse.

J'avais décidé de ne jamais repenser à la semaine écoulée. Jamais. Je cadenassai tout souvenir dans un coin de ma mémoire, j'y enfermai toutes les émotions associées, je condamnai vitres et portes et plus jamais je n'y aurais accès. Il ne s'était rien passé. Par un miracle auquel je croyais, Loïc tomberait de nouveau follement amoureux de moi en découvrant mes talents sexuels répondant à ses désirs homosexuels et jamais il ne me demanderait comment j'avais acquis cette science. Cela devait se passer ainsi. Résolue, j'ai attrapé le gant de crin et j'ai entrepris de me débarrasser de la peau morte accumulée tous ces derniers jours.

À dix-neuf heures, j'ai éteint le four, sorti le poulet que j'ai posé dans une jolie assiette, disposé légumes et semoule dans deux plats en argent et allumé le chandelier ornant la salle à manger. Ensuite, je me suis assise dans le canapé en attendant que Loïc rentre. Bientôt, j'ai entendu le bruit caractéristique de sa voiture dans l'allée, suivi de celui de la porte d'entrée. D'un bond, je me suis levée et j'ai couru vers lui. Je voulais le couver d'amour, lui montrer à quel point j'étais folle de lui et ne plus jamais le quitter. Il a accueilli mes embrassades avec étonnement, mais de deux bras chaleureux et possessifs tout de même.

Nous avons mangé tranquillement, ensuite, comme à l'accoutumée, nous sommes allés prendre un digestif au salon devant le journal télévisé. Le présentateur parlait, à n'en point douter : je voyais sa bouche articuler des mots. Toutefois, je ne les entendais pas. Je n'en avais plus la capacité. Tout mon être était tendu vers la chambre que j'avais préparée et qui n'attendait plus que les participants pour se mettre en action. À vingt heures trente, à bout de nerfs, j'ai éteint la télévision sous le regard ahuri de mon mari et je lui ai demandé de me suivre. J'avais une surprise pour lui. Un grand sourire s'est immédiatement dessiné sur ses lèvres.

— Je le savais ! s'est-il exclamé comme un enfant. Je le savais que tu me préparais quelque chose !

J'ai frissonné.

— Oui, mais d'abord, je dois te bander les yeux.

Il a acquiescé avec malice, s'est levé et a fermé les yeux. Je me suis levée à mon tour, j'ai défait le nœud de sa cravate et je lui ai bandé le vêtement autour des yeux. Ensuite, prudemment, je l'ai conduit jusqu'à la chambre à coucher. Là, je l'ai déshabillé tout en l'embrassant à la volée puis je me suis dévêtue à mon tour. Après, je l'ai assis à quatre pattes sur la moquette de la chambre. Loïc s'est laissé faire docilement. Prudemment, j'ai enfilé le gode ceinture afin qu'il ne reconnaisse pas le bruit des sangles puis je me suis agenouillée derrière lui et j'ai massé son pénis afin de le stimuler et de favoriser la détente de l'anus, comme j'avais appris à le faire. Encouragée par les soupirs de plaisir qu'il poussait, j'ai attrapé le tube de lubrifiant afin de lui en enduire le rectum. Je n'en ai pas eu le temps. Sitôt Loïc a-t-il compris ce que je voulais faire qu'il s'est redressé, furieux, a arraché son bandeau et s'est retourné vers moi. La vue du gode ceinture l'a figé sur place.

J'étais tétanisée. Ce n'était pas le scénario prévu. Il fallait que je lui explique, qu'il comprenne que ce n'était pas un jeu inventé pour me moquer de lui, que j'étais vraiment sérieuse et que je saurais m'y prendre. Je voulais réellement lui faire plaisir. Je voulais le pénétrer comme un homme et le faire jouir parce que je l'aimais.

Je n'ai pas eu le temps de le lui dire. Immédiatement, il a hurlé :

— Non mais tu joues à quoi, là, Margot ? Tu es devenue folle ou quoi ?

— Mais non, mais…

— C'est une mauvaise blague ?

— C'était pour te faire plaisir, parce que…

— Me faire plaisir ? Me faire plaisir en te travestissant en homme afin de me sodomiser ? Tu te prends pour qui, là ? Tu joues à quoi ?

— Mais à rien, mon chéri. Tu aimes ça et moi, avec mon corps, je ne peux pas te le donner, alors je me suis dit que…

— Tu t'es dit rien du tout. Tu t'es dit que dalle. Tu croyais que tu pouvais jouer à Dieu ? Que t'étais la divinité suprême qui allait me faire cesser d'aimer les hommes parce que madame s'était collé une bite en plastique ? Tu croyais vraiment que ça allait marcher ? Que tu étais si forte ?

— Oui, ai-je avoué en sanglots.

— Pauvre folle ! Ça fait trente-quatre ans que j'aime les hommes. Je ne vais pas changer du jour au

197

lendemain parce que t'as lu un article sur le fonctionnement des godes ceintures.

— Mais non. Ce n'est pas ça ! Je t'assure que j'ai demandé autour de moi. J'ai fait des recherches pour savoir si c'était possible de te changer.

Trop bavarde ! J'ai porté mes mains à ma bouche pour me faire taire mais c'était trop tard. Le mal était fait. Le visage de Loïc s'est empourpré tandis qu'il m'agrippait le bras de rage.

— Tu as fait des recherches ? Sur moi ? Tu es allée chercher dans des livres si d'autres « erreurs de la nature » comme moi existaient, c'est ça ?

— Non !

— Alors quoi ? C'est pire ? T'es allée demander en personne à tous les homos que tu croisais ? T'es allée dans les boîtes gays ?

Soudain, la couleur de son visage a changé : aussi vite qu'il était devenu rouge de colère, toute sa physionomie s'est soudain transformée, et il s'est retrouvé d'une extrême pâleur. Il avait compris. Ses yeux sont sortis de leurs orbites.

— Tu n'étais pas chez ta mère, n'est-ce pas ? Tu n'étais pas chez ta mère ?

J'étais terrifiée. Son regard me terrifiait. Lentement, d'un hochement de tête tremblant, j'ai fait comprendre que oui. Il m'a giflée aussi sec, m'envoyant à terre, puis il m'a relevée et m'a forcée à le regarder droit dans les yeux.

— Qu'est-ce que tu as fait, Margot ? Où tu es allée ? Qui tu as vu ? Parle ! Parle !

Il m'a lâchée et je me suis écroulée sur le sol. Dignement, je me suis relevée et je me suis assise sur les genoux, tout en frottant ma joue douloureuse. Puis, j'ai déclaré :

— Tu me dis que je me suis prise pour Dieu, mais c'est toi qui t'es pris pour Dieu à changer la sexualité dont la nature t'avait doté. Les homosexuels étaient brûlés au Moyen Âge, tu le savais ça ? Brûlés ! Mais moi, j'ai voulu te sauver, parce que je t'aime. Alors oui, quitte à perdre la raison, je suis allée dans les endroits que tu fréquentes trouver des gens comme toi afin de comprendre et de te ramener à la raison. Je l'ai fait pour toi, uniquement pour toi. Parce que te sodomiser, je peux le faire maintenant. Tu comprends ? J'ai fait ça pour toi, Loïc. Pour toi !

Je n'oublierai jamais son regard. Le regard d'un homme qui vient de voir le diable en personne et qui a peur d'être damné à jamais par cette vision. Le regard d'un homme qui découvre une bactérie répugnante et contagieuse qu'il voudrait faire disparaître de ce monde. Le regard de l'homme que j'aimais qui avait perdu tout amour pour moi et me haïssait à jamais.

Sans me quitter des yeux, il s'est relevé, s'est rhabillé et est sorti de la chambre.

— Pauvre folle ! a-t-il déclaré d'une voix glaciale en fermant la porte.

Je suis morte ce soir-là. Il n'y avait plus d'espoir possible. J'avais perdu le seul homme que j'aimais et jamais je ne retrouverais son amour. Mon cœur s'est fendu d'une blessure inguérissable, desséché comme une plante vieillie au soleil sans eau ni main pour la caresser. Je n'étais plus rien. Plus rien qu'un corps, qu'une coquille vidée de sa substance qui attendait la marée montante pour lui faire regagner les profondeurs de l'océan et y creuser sa tombe. Je voulais qu'on m'anéantisse dans l'espace et qu'on me désintègre de ce temps qui n'était plus rien pour moi. Je voulais qu'on m'achève.

Je me suis traînée dans la salle de bains en m'aidant de tout ce que je trouvais à ma portée. J'ai rampé plus que marché jusqu'au lavabo où, là, prise d'un relent incontrôlable, j'ai vomi mon dîner ainsi qu'une bonne partie de mon déjeuner. Ce n'était que des morceaux de viande, de grains de blé et de légumes qui s'éparpillaient dans une odeur nauséabonde devant mes yeux, pourtant c'était ma douleur que je vomissais, la plaie béante de ces dernières semaines que j'avais essayé tant bien que mal de colmater avec mon orgueil et ma folie. Mais ça n'avait pas marché. Je ne pouvais pas faire fi de ce qui me rongeait de l'intérieur. Ça me hantait et tôt ou tard, ça serait ressorti. Le dégoût, la haine de soi, de l'autre, de son corps, de sa vie, la douleur de ces regards déchirés, de ces non-dits et de toutes ces soirées passées seule à l'attendre en pleurant. Ces tonnes de cigarettes fumées dans l'espoir que l'intoxication de mes poumons m'allégerait le cœur, les verres d'alcool, alignés comme des remèdes contre mon désespoir. Et tous ces sanglots, ravalés dans une fierté trop bien déguisée. J'ai vomi une nouvelle fois les fonds de poubelle, tout ce qui restait de vomissable à l'intérieur de moi, jusqu'à ma propre bile, amère, froide, haïssable. Après, je me suis affalée de tout mon long contre la baignoire, le corps encore secoué de spasmes réguliers et la bouche salie des restes de vomissures. Et je me suis évanouie.

31

Dimanche. Le jour des retrouvailles. Je ne me souviens même plus à quand remonte la dernière fois que j'ai vu ma mère et ma sœur. Était-ce avant le mois de mai ? Avant le début de mes activités hebdo-madaires ? Oui, bien sûr. Ma mère n'avait pas voulu me revoir depuis la fois où elle m'avait trouvée hurlante dans le couloir de l'hôpital, à cracher sur les infirmiers et à donner des coups de pied dans le vide. Je la comprenais. Qui aurait voulu rendre visite à une fille devenue folle et agressive ? Aujourd'hui, c'était différent. Aujourd'hui, elle comprendrait enfin. J'étais nerveuse.

Les terrasses de la salle à manger avaient été ouvertes pour nous permettre de profiter du soleil matinal qui pointait à l'horizon. Un doux parfum orangé emplissait l'air ambiant de senteurs estivales, suscitant des sourires de contentement sur chaque visage que je contemplais. Le pouvoir de la nature, quelle merveille ! Je me suis servi une grande tasse de thé accompagnée de deux croissants au beurre et d'un yaourt aux fruits, que je suis allée déguster sur les marches de la terrasse.

— Bonjour Margot, a claironné une infirmière qui passait par là. Bien dormi ?

— Oui, très bien, merci.

— Ta mère et ta sœur viennent te rendre visite ce midi, n'est-ce pas ?

— Oui, on va aller pique-niquer dans la clairière, à côté.

— C'est une très bonne idée. Surtout qu'avec ce grand soleil qui s'annonce, vous allez être gâtées.

Comme le monde était doux et bon avec moi depuis que j'avais cessé d'être en colère contre lui !

Mon repas fini, je suis remontée dans ma chambre faire ma toilette et m'habiller. Ensuite, j'ai rangé mes affaires, fait mon lit, aéré la pièce et changé l'eau des fleurs. Je voulais que ma mère retrouve sa fille. Je désirais également que ma sœur ait enfin une bonne image de moi. On ne s'était pas beaucoup vues ces dernières années. Je ne voulais pas qu'elle croie que j'étais toujours l'aliénée à qui elle avait rendu visite un soir d'avril et qu'elle avait trouvée ligotée dans une camisole, un infirmier à son chevet.

À onze heures trente, j'étais prête. Je suis descendue dans le hall d'entrée et j'ai attendu anxieusement, le regard tourné vers le parking. Un peu avant midi, une vieille Volvo bleue s'est garée près de la grille. Les battements de mon cœur se sont accélérés. Ma sœur est descendue la première, allant directement ouvrir le coffre. Ma mère a hésité. Finalement, elle a ouvert la portière à son tour et a rejoint Lorcha. Je me suis levée, j'ai passé ma main dans mes cheveux afin de les arranger un peu puis je me suis dirigée vers elles. Dès qu'elle m'a aperçue, ma sœur a couru à ma rencontre. Ma mère, en revanche, a ralenti le pas.

— Margot ! a crié Lorcha joyeusement.

— Ma petite sœur !

Elle s'est jetée contre moi et m'a serrée de toute la force dont elle était capable. J'avais oublié son odeur. Je l'ai étreinte avec amour et j'ai plongé ma tête dans son cou pour humer son parfum. J'avais les larmes aux yeux. Je l'ai contemplée avec fierté.

— Qu'est-ce que tu as grandi ! Tu deviens une vraie femme !

— Bah, oui, quatorze ans. Bientôt le lycée !

— Dis-moi, j'espère que tu fais gaffe aux garçons quand même. Ils doivent sacrément te tourner autour !

— Tu m'étonnes ! C'est trop bien ! Y a Nathan qui m'a invitée à sa fête le week-end prochain et avec Lucie, on va à la mer ensemble toute une semaine au mois d'août. C'est ses parents qui m'ont invitée mais en fait, y aura aussi son frère et il est trop beau ! Il a seize ans, il est en seconde, tu te rends compte !

— Un vrai mec !

— Oui et il avait une copine mais ça s'est fini y a deux semaines et Lucie m'a dit qu'il lui avait dit qu'il me trouvait super mignonne.

— Ouahou. Et il s'appelle comment ?

— Grégory. Et il est trop beau. Il fait de la guitare et il a un scooter qui déchire !

— Vraiment ?

— Ouais, la dernière fois, je l'ai croisé dans le

centre-ville et tout le monde le matait. Alors t'imagines si je suis avec !

— Tout le monde matait le scooter ou Grégory me suis-je moquée gentiment.

— Grégory. M'enfin, son scooter, il est super beau aussi !

Elle rayonnait. Tendrement, je l'ai serrée une nouvelle fois dans mes bras et je l'ai embrassée sur la joue. Ma petite sœur qui devenait une femme.

Ma mère nous a rejointes. Elle portait un tailleur bleu clair et s'était noué les cheveux en un chignon droit, comme autrefois. Maquillée à la perfection, elle s'était également verni les ongles des pieds et des mains. Une mère parfaite. J'étais intimidée.

— Bonjour maman.

— Bonjour Margot.

Nous sommes restées gauches, aussi bête l'une que l'autre à ne pas bouger alors qu'on mourait d'envie de se prendre dans les bras l'une de l'autre. Je sentais combien cette situation lui pesait et combien elle était heureuse de me retrouver. Quant à moi, j'avais besoin de ma mère, mais en cet instant, je n'arrivais pas à le lui dire. C'est Lorcha qui a débloqué la situation de sa petite voix :

— Vous savez, vous avez le droit de vous faire un câlin.

Maladroitement, on s'est exécutées. Ma mère a posé le panier de pique-nique à terre et m'a ouvert ses bras. Je m'y suis engouffrée prestement tout en plaçant ma tête contre son épaule. Là, j'ai réalisé à quel point cette embrassade m'était vitale. Ma mère, la personne qui comptait le plus au monde à mes yeux. La seule dont j'avais et j'aurais éternellement besoin.

— Maman, maman…

— Je suis là, ma fille, je suis là.

Elle a posé sa main dans mes cheveux et m'a bercée doucement. J'ai fermé les yeux.

Nous sommes restées un long moment, serrées l'une contre l'autre, à guérir nos cœurs de tout cet amour perdu qui nous revenait. Ensuite, avec hésitation, j'ai placé ma main dans la sienne et nous sommes rentrées dans le hall. Ma mère et ma sœur ont signé le cahier des visites et ont laissé leur carte d'identité à l'accueil, puis elles m'ont suivie jusqu'à ma chambre. J'avais hâte de leur montrer la frise qui avait été peinte sur les murs. Impatiente, j'ai ouvert la porte de ma chambre et je les ai priées d'entrer. Lorcha a poussé un « oh » émerveillé tandis que ma mère s'est figée sur place.

— Ce sont les gens de l'atelier de peinture qui l'ont faite, ai-je expliqué. J'avais envie d'un peu de couleur.

— C'est magnifique. Et quel travail !

— Ils font l'amour, là ? a demandé Lorcha promptement.

— Oui. Le but de la fresque était de dessiner une vie, avec tous ses moments, heureux comme tristes.

Ma mère a posé son sac à terre et a parcouru la pièce du regard. Je l'ai regardée, le cœur empli d'amour. Ma mère…

Nous sommes allées pique-niquer sous le vieil arbre où j'étais allée m'asseoir pour lire et dont les racines bordaient la rive. Ma mère a étalé une grande nappe sur le tapis d'herbes et de feuilles que le doyen des lieux nous offrait. Ensuite, elle a sorti une boîte de taboulé, du fromage, du quinoa au parmesan, du pain et un pudding aux cerises.

— J'espère qu'il sera bon, a-t-elle déclaré en me voyant le dévorer des yeux avec gourmandise.

— Maman, tu es une excellente cuisinière. La meilleure que je connaisse. Je n'ai jamais été capable de ne pas prendre un gramme à chaque fois que je venais te voir !

— Je t'ai toujours dit de faire plus de sport.

J'ai ri. Après, j'ai sorti de mon sac les jus de fruits que j'avais achetés la veille et j'ai aidé ma mère à emplir les assiettes. Ma sœur a englouti son repas en quelques secondes à peine et s'est relevée aussitôt pour retourner jouer au bord de l'eau.

— Ton dessert, Lorcha.

— Plus tard.

À l'évidence, les berges étaient beaucoup plus palpitantes qu'un morceau de gâteau et qu'une conversation familiale. Ma mère a sorti le thermos à café de son panier et nous a servi deux tasses bien chaudes pour accompagner le pudding. J'ai savouré le tout avec bonheur.

— C'était délicieux, ai-je déclaré dans un gargouillement de plaisir une fois la dernière bouchée avalée.

— Tant mieux ma chérie, car je l'ai fait pour toi.

— C'est vrai ?

— Pour qui d'autre voulais-tu qu'il soit ? Le voisin ? a-t-elle plaisanté.

— Non, mais je pensais, enfin, après ce que tu avais vu de moi la dernière fois…

Je me suis tue, gênée. Elle a caressé mon visage avec douceur.

— Je sais, ma puce. Et ce n'était pas facile, crois-moi. Pardonne-moi si je ne suis pas venue plus tôt mais je ne pouvais pas. Je n'y arrivais pas.

Elle a levé les yeux vers l'horizon.

— J'ai souvent appelé le docteur Lanar, tu sais. On a beaucoup parlé lui et moi. J'en avais besoin.

Je l'écoutais avec attention. Elle a ajouté :

— C'est lui qui m'a aidée à surmonter l'épreuve et à revenir vers toi.

Ses mains tremblaient. Toutefois, elle a pris les miennes et elle a enlacé nos doigts.

— Je n'ai jamais cessé de t'aimer, Margot. Je suis ta mère, et, quoi que tu fasses, tu seras toujours ma fille, ma princesse, ma beauté. Seulement, il y avait la télé, les journaux, les gens qui me posaient des questions, les voisins qui me regardaient. J'ai souffert, tu sais. Il a fallu que je me reconstruise après ça, que je surmonte cette épreuve et que je trouve assez de force pour venir te voir. Ça m'a pris du temps.

Les larmes sont venues, doucement. Un liquide libérateur qui irriguait son cœur douloureux.

— Pour ta petite sœur non plus, ça n'a pas été facile. J'ai dû la changer d'école car les garçons du village la traitaient de tous les noms. Oui, je ne te l'ai pas dit, mais on a déménagé.

J'ai écarquillé les yeux.

— Il a bien fallu, tu sais, s'est-elle défendue. Mais rassure-toi, je n'ai pas vendu la maison. Je l'ai simplement mise en location et j'en ai loué une autre près de la nouvelle école de ta sœur. Une jolie maison de plain-pied, avec deux chambres et un jardin. Tu verras, elle est petite mais tellement agréable. On s'y sent bien. En tout cas, Lorcha a l'air de s'y plaire. C'est l'essentiel à mes yeux.

— Maman, il faut que je te demande quelque chose de très important… S'il te plaît…

Sa réaction fut immédiate, comme si j'avais lancé une bombe sur la nappe de pique-nique : son visage s'est instantanément refermé.

— Tu es sûre ? a-t-elle bafouillée, interdite. Je veux dire, tu es sûre d'être capable de me poser des questions ? Tu en as parlé avec le docteur Lanar ?

— Oui.

— Est-ce que tu as retrouvé la mémoire ?

On y était. C'était la question que j'avais tant appréhendée ces jours derniers tout en n'attendant qu'elle. Je savais ce que je devais faire. Sans quitter ma mère des yeux, j'ai attrapé mon sac et j'ai sorti l'ours en peluche que j'y avais glissé le matin même.

— Aide-moi maman ! l'ai-je alors implorée. Dis-moi à qui est cet ours, dis-moi pourquoi il était dans mon sac et pourquoi je sens qu'il devrait être important à mes yeux. Aide-moi !

Le changement a été brutal. En une fraction de seconde, ma mère, si maîtresse d'elle-même jusque-là, s'est écroulée mentalement tandis que ses yeux se sont embués. Toute la force qu'elle avait accumulée en elle ces derniers mois pour faire barrage contre le flot de ses sentiments s'était évanouie et ceux-ci se déversaient à présent dans son regard comme un fleuve incontrôlable. Malgré cela, elle s'est immédiatement obligée à reprendre contenance, forçant ses larmes à sécher tout en se redressant fièrement. Ses yeux ont alors regardé la peluche.

Timidement, elle a levé une main afin de la toucher. J'ai avancé l'ours vers elle, mais elle a reculé promptement, tressautant de peur. Inquiète, j'ai ramené la peluche à moi sans quitter ma mère des yeux.

— C'était à Marie, a-t-elle déclaré d'une voix sans timbre.

— Marie ?

— Oui.

J'ai cherché une signification à ce mot dans ma mémoire. Un visage à greffer sur ce nom. Rien ne m'est venu.

— Qui est Marie, maman ?

— Tu ne te souviens de rien ?

— Ça revient petit à petit. Mais c'est long. Je me souviens de mon mariage, de Loïc, du premier Noël qu'on a passé tous ensemble, Lorcha, toi, mon mari et moi. Mais après, c'est encore flou.

Elle a fait signe qu'elle comprenait. J'ai insisté :

— Qui est Marie, maman ?

— Était….

— Elle est morte ?

— Oui.

J'ai frissonné.

— C'est pour ça que je suis ici ? Parce que je n'ai pas supporté sa mort ? C'était ma sœur ?

— Non…

— C'était qui alors, maman ? Dis-moi, je t'en supplie !

— C'était…

Subitement, elle a plaqué ses mains contre sa bouche et a étouffé un râle déchirant.

— C'était ta fille ! Ta fille ! Ma petite-fille !

209

Je ne crois pas avoir pensé à quoi que ce soit en entendant ces mots. En fait, je n'entendais plus rien. Mon cerveau ne fonctionnait plus et mes neurones s'en étaient allés dans un autre hémisphère cérébral. Même eux m'avaient quittée car le souvenir était trop profondément enterré pour être mis au jour avec une simple phrase. Non, impossible. Il me fallait plus que cela pour me rappeler un tel secret.

Ma mère me fixait toujours du regard. Ses yeux verts s'étaient teintés d'une pâle lueur qui éclairait les larmes emmagasinées sur sa cornée. J'ai balbutié :

— Ma fille ?

— Oui.

— J'avais une fille ?

— Oui.

— Marie…

— Oui.

C'était impossible. Comment pouvais-je avoir oublié ma fille ? Ma propre fille !

— Maman, je ne me souviens pas, ai-je sangloté, angoissée. Tu me dis ça et ça ne déclenche rien en moi. Rien ! Pas le moindre sentiment, pas la moindre image, pas le moindre souvenir.

Elle voulut me répondre, je le lus dans ses yeux, toutefois le choc retint ses mots et rien ne sortit de sa bouche.

Une question me brûlait les lèvres.

— Maman, s'il te plaît, sois honnête. De quoi est-elle morte ?

Son visage s'est décomposé. Inquiète, j'ai posé une main sur son épaule qu'elle a immédiatement repoussée.

— Non ! a-t-elle crié.

J'ai reculé.

— Non ! Je ne peux pas ! Je ne peux pas !

— Quoi, maman ?

— Je ne suis pas assez forte. Je n'étais pas venue pour ça. Tu ne peux pas me demander ça.

— S'il te plaît !

— Non.

— Mais personne ne me dit rien ici. Personne ne me parle. Je deviens folle ! Aide-moi, maman !

— Va voir le docteur Lanar. Lui, il te dira, mais moi, je ne peux pas.

Elle s'est relevée prestement et a appelé ma sœur.

— Lorcha, viens, on rentre.

Troublée par le ton employé, ma sœur nous a rejointes sans attendre.

— On s'en va ?

— Oui.

— Pourquoi ?

— Tu as des devoirs et moi, du travail.

Elle n'a pas bronché face à un tel mensonge. Furieuse, j'ai agrippé le bras de ma mère et je l'ai retenu fermement.

— T'as pas le droit de partir comme ça, maman ! Tu dois me dire. Tu dois m'aider. Je suis ta fille !

— Justement ! Je suis venue car tu es ma fille et que je t'aime. Mais ne me demande pas plus.

— Je l'ai tuée, c'est ça ?

C'était sorti tout seul. Je n'y avais pas réfléchi. Son sac a glissé de ses mains et s'est écrasé lourdement sur le sol. Ma sœur a immédiatement porté deux yeux terrorisés sur notre mère, mais celle-ci ne s'en est pas rendu compte. Son regard était ancré dans le mien, figé dans une souffrance terrible que je venais de mettre au jour.

J'ai continué :

— Je me rappelle une dispute avec Loïc. Mais je ne sais plus pourquoi. Je me rappelle sa colère, ses yeux qui me lançaient des éclairs et qui me regardaient comme si j'étais un monstre. Le reste, c'est le trou noir. J'entends une sirène d'ambulance dans ma tête, mais je ne sais pas pourquoi. Il n'y a pas d'images qui vont avec. Les images suivantes, ce sont celles de l'hôpital. Je l'ai tuée, c'est donc ça. Je l'ai tuée n'est-ce pas ?

Ma mère s'est signée puis ses yeux ont cligné comme deux papillons en plein vol, passant de mon visage à celui de ma sœur, à ses mains, à mon visage. Elle fuyait, elle cherchait un endroit où se cacher pour ne pas avouer la lourde vérité. Elle n'en trouvait pas. Ses membres tremblaient ainsi que ses lèvres. C'était ma faute. C'était moi qui lui imposais cette épreuve. Non seulement j'avais détruit mon couple et tué mon enfant, mais en plus, j'avais gâché la vie de ma mère et de ma sœur. En cet instant, c'était ce qui me faisait le plus mal.

— On ne sait pas, Margot, a-t-elle fini par balbutier, résignée. Personne ne sait. C'est pour ça que tu es ici, et non pas en prison. Tant que tu n'auras pas retrouvé la mémoire, ils ne pourront pas t'interroger, et donc établir ce qui s'est passé.

Je suis tombée des nues.

— Comment ça, ils ne savent pas ce qui s'est passé ? Je pensais que j'étais ici parce que j'avais été déclarée folle et que j'étais donc condamnée à rester dans cet asile de tarés pour la vie.

212

— Non. Ce n'est que temporaire. Jusqu'à ce que tu retrouves la mémoire.

— Mais Loïc ?

— Il n'a rien dit. Quand les policiers l'ont interrogé, il a dit qu'il t'avait retrouvée au pied de la table à langer, en boule par terre, le visage raviné de griffures et les vêtements déchirés. Marie était déjà morte.

J'étais abasourdie.

— Mais non, ce n'est pas vrai, il était là. On s'est disputés, il m'a frappée et…

Je me suis tue.

— Et quoi, Margot ?

— Je ne sais plus, ai-je avoué. Je ne m'en souviens plus.

J'ai tremblé.

— Il m'a frappée, je suis tombée à terre et après…

Paniquée, j'ai regardé ma mère droit dans les yeux. Son regard était empli d'une frayeur incontrôlable.

— Je ne sais plus maman, je ne sais plus !

— Calme-toi, ma chérie. Calme-toi.

Elle a passé sa main dans mes cheveux. Je me suis apaisée. Toutefois, je n'ai pas pu m'empêcher de me dire qu'il était possible que… J'ai ouvert de grands yeux.

— Alors peut-être que je n'ai pas tué ma fille ? Ce n'est peut-être pas moi ?

— Qui veux-tu que ce soit d'autre, ma chérie ?

J'ai immédiatement compris que je connaissais la réponse à cette question. D'ailleurs, au fond de moi, je l'avais toujours su. Je n'aurais jamais pu tuer ma fille, jamais. Je me serais tuée après. Si j'étais devenue folle, c'était pour une autre raison que celle du meurtre de Marie. Sans lâcher ma mère des yeux, j'ai déclaré :

— Loïc.

Elle a retenu un cri.

32

Ma mère ne savait rien des penchants homosexuels de mon mari. À vrai dire, je n'en avais jamais parlé à personne. Je lui ai tout raconté, alors que nous marchions côte à côte au bord de l'eau.

— Oui, il me trompait, maman. Et non, pas comme tous les maris puisque c'était avec d'autres hommes.

— D'autres hommes ? s'est-elle étonnée. Tu veux dire qu'il allait voir des femmes avec ses amis ?

J'ai souri malgré moi.

— Non, je veux dire qu'il se faisait bourrer le cul par d'autres mecs parce que c'était ce qu'il aimait.

C'est à ce moment-là que ma mère a failli tomber dans l'eau de stupeur. Peut-être aurais-je dû être plus délicate dans le choix de mes mots ? Il est vrai qu'on n'apprenait pas cela au catéchisme. Au moins savait-elle la vérité sur mon mariage à présent.

Un instant perturbée, elle a ôté les lunettes de soleil coincées dans sa chevelure et les a cachées dans la poche de sa veste.

— Lorcha, ma chérie, a-t-elle crié à ma sœur qui gambadait un peu plus loin, j'ai oublié mes lunettes de soleil dans la voiture, tu veux bien aller me les chercher s'il te plaît ?

— Mais faut retraverser tout le parc ! T'en as pas besoin, m'man, y a de l'ombre partout.

— S'il te plaît, ma chérie.

Lorcha a soupiré, a grogné et a tapé du pied dans un caillou pour manifester sa mauvaise humeur, puis, comprenant qu'elle n'avait pas le choix, elle est retournée chercher les clés dans le sac de ma mère. Ensuite, sans cesser de bougonner, elle s'est dirigée vers la voiture.

Ma mère n'a pas perdu un seul instant.

— Pourquoi tu ne m'en as jamais parlé ? s'est-elle écriée immédiatement.

— Comment aurais-je pu, maman ?

— Raconte-moi tout.

J'ai raconté le plus rapidement possible tout ce dont je me souvenais, depuis le jour où j'avais surpris Loïc dans la cabane du jardin avec son associé jusqu'au soir de la mort de Marie. Ma mère est devenue livide quand je lui ai révélé jusqu'où j'étais allée par « amour ». Toute cette semaine passée à traîner dans les endroits glauques de Paris à la recherche d'un remède miracle contre l'homosexua- lité de mon mari. Comme j'avais été bête !

— Et moi qui croyais que tu lui préparais une surprise pour vos trois ans de mariage, s'est exclamée ma mère, abasourdie.

— Non. Ce n'était pas vraiment ça.

— Mon Dieu ! Mais pourquoi tu n'en as parlé à personne ? Pas forcément à moi mais à quelqu'un. Un psy, un prêtre, n'importe qui.

— Un prêtre, maman ? Mais qu'est-ce que tu

voulais qu'il me dise ? Comment aurait-il pu m'aider ?

Ses lèvres ont tremblé. Soudain, elle a baissé la tête, dans un signe de culpabilité que je ne lui connaissais que trop bien.

— Et moi, je n'ai rien vu, a-t-elle murmuré alors, plus pour elle-même que pour moi. Rien. Je n'ai rien vu.

— Tu ne pouvais pas savoir, maman.

Elle a relevé la tête.

— Tu es ma fille. J'aurais dû deviner, c'était mon rôle de mère.

J'ai baissé la tête tristement. Je n'avais pas su la comprendre ni comprendre son amour pour moi. Aveuglée par mon chagrin, je l'avais rejetée par orgueil au lieu de lui demander de l'aide et d'accepter la main qu'elle m'aurait nécessairement tendue. J'avais été stupide sur toute la ligne. Au fond, peut-être n'étais-je pas *la* meurtrière de ma fille mais je l'avais tuée de toute façon par la bêtise dont j'avais fait preuve. J'étais autant responsable de sa mort que le véritable assassin.

Fatiguée, je me suis blottie au creux des bras de ma mère. Elle m'a accueillie chaleureusement et m'a caressé les cheveux.

— Je t'aime, maman…

— Moi aussi, je t'aime ma fille.

J'ai fermé les yeux.

Elles sont reparties en fin d'après-midi, promettant de revenir me voir très vite. J'ai tenté quelques questions sur Loïc, mais ma mère a pris soin de les esquiver une à une. Elle me cachait quelque chose, mais je ne savais pas quoi.

Le cœur gros, je les ai regardées s'en aller, fixant la carrosserie bleue de la voiture jusqu'à ne plus rien pouvoir distinguer. Puis je suis retournée dans ma chambre, j'ai fermé les rideaux et je me suis blottie sous les draps. J'avais besoin d'être seule.

33

Le test de grossesse était positif. Assise sur la cuvette des toilettes, les coudes posés anxieusement sur mes genoux, je contemplais avec un air ahuri le signe « + » qui s'affichait sur l'écran du bâtonnet.

Enceinte. J'étais enceinte. Ce n'était pas possible. Pas maintenant. Soudain, je me suis rappelé la promesse que j'avais faite à Loïc plusieurs mois auparavant, celle de lui faire un enfant avant la fin de l'année. C'était il y avait un peu plus de quatre mois. Bien sûr, je ne prenais plus la pilule contraceptive depuis le mois passé, mais tombait-on enceinte si rapidement ? Sans compter que sur ces trente jours, j'en avais passé sept sans voir mon mari donc sans faire l'amour avec lui. Instantanément, j'ai pâli. Se pouvait-il qu'il ne soit pas le père de mon enfant ? J'avais pourtant vérifié consciencieusement que chacun de mes partenaires sexuels portait un préservatif. L'enfant ne pouvait donc être que de lui. Il n'y avait aucun doute quant à sa paternité. J'étais catégorique.

Je me suis mise à pleurer. Sur cet être dans mon ventre qui n'avait rien à faire là, sur ma petite personne recroquevillée comme une voleuse dans les toilettes, sur mon couple fini ainsi que sur ma vie ratée. Toutefois, alors que mes pleurs redoublaient, une pensée m'est venue à l'esprit, une illumination sur ma situation : cet enfant était un cadeau de Dieu. Il était la réponse à toutes mes souffrances, l'être tant attendu par mon mari qui allait enfin nous réconcilier, lui et moi. La source de la vie à venir et la joie d'une famille enfin constituée. Il était mon sauveur.

Pleine d'espoir pour ce futur qui me tendait les mains, je suis sortie des toilettes en fredonnant de joie, j'ai attrapé mon sac à main, j'y ai glissé le test de grossesse usagé puis je suis partie en ville. Je voulais acheter des petits chaussons roses de bébé pour les offrir à Loïc. Tout en conduisant, je riais de bonheur à la seule pensée de la tête qu'il ferait en ouvrant mon cadeau et en comprenant sa significa-tion.

Je suis rentrée chez moi la tête encore pleine de nuages roses et blancs. Ma joie s'est stoppée net quand j'ai aperçu la voiture de Loïc dans l'allée. Que faisait-il à la maison à cette heure-ci ? Oubliant mon cadeau dans le coffre, j'ai couru jusqu'à la porte d'entrée et j'ai grimpé les marches quatre à quatre jusqu'à la chambre où j'entendais du bruit. Loïc était là et sur le lit reposait une valise à moitié pleine de vêtements.

Le temps s'est figé pendant plusieurs secondes, peut-être même une minute, je n'aurais su dire car mes yeux n'arrivaient plus à se détacher de la pile de chemises entassées dans son bagage. Sa chemise bleue faisait partie du lot. C'était sa préférée, mais il ne la mettait jamais car il avait peur de l'abîmer. Je me moquais souvent de lui à ce sujet, lui répétant qu'à force de la dévorer des yeux, elle allait s'user. Or là, il l'emportait. La troisième chemise de la pile en partant du haut. Pourquoi ? Était-ce si grave que cela, au point d'emporter sa chemise préférée ? Soudain, j'ai réalisé qu'il me quittait. Il ne faisait pas son sac pour partir en voyage d'affaires ou pour me fuir momentanément afin d'être mieux à même de réfléchir. Non, il me quittait simplement comme on dit adieu à un passé révolu. Il me quittait à cause de notre dernière dispute. À cause de ce que j'avais fait.

J'ai paniqué. Je devais l'empêcher de partir, il ne pouvait pas me laisser seule. Ce n'était pas possible. Je n'étais plus rien sans lui. Puis, ça n'avait pas de sens. J'étais sa femme. Il avait besoin de moi. Il ne pouvait pas me laisser. Il n'en avait pas le droit.

Alors que j'allais protester contre son départ que je refusais d'accepter, Loïc m'a regardée avec des yeux tristes et fatigués, comme s'il avait passé la nuit au fin fond d'une geôle miteuse dans un commissariat de banlieue et qu'à présent tout ce qu'il souhaitait était le calme et la quiétude. J'ai refermé ma bouche et je n'ai rien dit. Je ne pouvais pas. De toute façon, aurais-je été en mesure de prononcer le moindre mot face à cette réalité implacable ? Au contraire, j'ai baissé la tête et j'ai fermé les yeux face à cette évidence si meurtrière. C'est alors que j'ai aperçu mon sac à main, pendu à mon bras. Aussitôt, un éclair de lucidité a traversé mon cerveau. Sans attendre, j'ai attrapé le sac et je l'ai retourné sur le lit afin de le vider de son contenu. Le test de grossesse est apparu. Je l'ai saisi et, d'une main sûre et prompte, je l'ai tendu à Loïc. Il l'a attrapé par réflexe tout en me dévisageant étrangement puis il a regardé l'objet afin de comprendre de quoi il s'agissait. Une seconde dérouté par ce qu'il tenait entre ses mains, ses sourcils sont alors remontés d'un bloc et ses yeux se sont écarquillés. Il a relevé la tête brusquement et m'a regardée fixement.

— Je suis enceinte, ai-je annoncé fébrilement.

Bouche bée, il a lâché le bâtonnet et a marché à ma rencontre. Sa main s'est tendue vers moi et ses doigts ont trouvé mon ventre. J'ai souri. Il a souri en retour.

Il ne me quittait plus. J'étais sauvée.

34

C'était une fille, une jolie petite fille que Loïc et moi avions décidé d'appeler Marie, comme sa grand-mère paternelle.

Les semaines se sont écoulées et plus elles s'estompaient dans le temps, plus je retrouvais le mari doux et aimant que j'avais épousé. Finie la peur d'être quittée pour ce que j'avais fait. Oubliées, les erreurs du passé. Je portais son enfant. Il m'aimait à nouveau.

Loïc me couvrait de fleurs, de baisers et d'attentions. Il me laissait des mots doux sur le comptoir de la cuisine en partant le matin et m'appelait dans l'après-midi afin de s'assurer que je n'avais besoin de rien.

— Du chocolat ?

— Non.

— De la glace ?

— Non.

— Des petits gâteaux ?

— Non.

— Tu es sûre, ma chérie ? s'exclamait-il alors avec inquiétude. J'ai lu dans un magazine féminin qu'il était important que tu manges des aliments sucrés et riches en calories pour le bébé. Tant pis si tu prends du poids, je te paierai toutes les séances de thalasso-thérapie que tu voudras après. Mais mange pour le bébé.

— Je mange, Loïc ! m'exclamais-je à chaque fois. Mais tu ne peux pas me gaver comme une oie !

— Alors juste un petit cookie tout frais que j'irai te chercher à la boulangerie avant de rentrer, d'accord ? Tu adores ça.

— D'accord pour le cookie, abdiquais-je, heureuse. Et un avec plein de pépites de chocolat, tant qu'à faire !

— Oui, mon amour. Je ne rentre pas tard. Repose-toi bien et ne fais pas trop d'efforts. De toute façon, Anna viendra demain faire le ménage et ce soir, j'ai commandé des sushis chez le traiteur, donc tu n'as à t'occuper de rien.

— D'accord, répondais-je inlassablement, emplie d'amour pour ce mari qui ne pensait plus qu'à notre bien-être, au bébé et à moi.

Je me suis arrondie lentement, prenant des formes dans des endroits où j'avais toujours été maigre. Le haut des cuisses, le dessous des bras, les joues. À l'inverse, mes jolies petites poignées d'amour semblaient avoir disparu face à ce ventre proéminent qui me mangeait toute la surface du corps. En revanche, mes nouveaux seins me gênaient beaucoup, mais je m'en accommodais. Ils allaient avec mon gros ventre, que j'aimais à la folie et dont je ne voulais plus me séparer. Sitôt accouchée, je retomberais enceinte. Je voulais une ribambelle d'enfants pour garder ce ventre rebondi.

Loïc me trouvait belle avec mes nouvelles formes. Il disait que ça me conférait une aura incroyable, une assise matérielle qui rayonnait autour de moi comme une boule de lumière. Les premiers mois, il m'a fait l'amour chaque jour sans relâche, même plusieurs fois par jour. J'attendais chacune de ses pénétrations comme la confirmation de son amour pour moi et pour la famille que je lui offrais. J'étais redevenue sa femme et je le criais haut et fort avec ma grossesse. Mon titre était inattaquable.

Au bout du sixième mois, j'ai commencé à avoir des douleurs dans le dos. Rien de grave, mais cela me réveillait tout de même la nuit et me faisait geindre. Les médecins ont dit que c'était fréquent lors d'une première grossesse. Loïc s'est tout de même inquiété et m'a payé des séances de massage à domicile trois fois par semaine. Ma masseuse s'appelait Enora. Elle avait des mains douces et fines. J'attendais ces séances avec impatience, tant et si bien que de trois fois par semaine, la fréquence est passée à cinq puis à six. Le dimanche était entièrement réservé à mon mari…

Je ne crois pas avoir douté la moindre seconde. De nombreuses mères se posent la question, j'en suis sûre, peut-être même toutes. Mais moi non. Il était le fruit de notre amour, l'enfant sauveur de notre couple. Il ne pouvait donc qu'être parfait. En outre, j'étais jeune, loin de la quarantaine. L'amniocentèse n'était pas pour moi. Je n'en ai même pas discuté avec Loïc. Pourquoi l'aurais-je fait, vraiment, alors qu'en mon for intérieur, je savais que tout allait merveilleusement bien se passer et que cet enfant serait parfait ?

*
**

La veille de l'accouchement, Loïc et moi avons eu des mots. On était le 8 janvier, soit un an jour pour jour depuis le soir où je les avais découverts Antoine et lui dans la cabane du jardin. La date était si fortement imprimée dans ma mémoire que, dès le réveil, les images des deux hommes en train de faire l'amour m'avaient assaillie, me déstabilisant dans ma fragile quiétude retrouvée. J'avais eu beau les chasser de ma tête, elles étaient revenues sans cesse se nicher entre deux idées, perfidement et inlassablement. Finalement, à bout de forces dans ce combat perdu d'avance, je m'étais écroulée sur le lit en pleurant. Loïc était arrivé à ce moment-là et m'avait trouvée recroquevillée sur moi-même, le corps parcouru de spasmes incontrôlés. Aussitôt, il s'était précipité vers moi et m'avait prise dans ses bras.

— Qu'est-ce qu'il y a, ma chérie ?

J'avais pleuré de plus belle face à l'inquiétude qui se lisait sur son visage. Puis, d'une voix cassée, je lui avais avoué que je n'arrêtais pas de repenser à ce qui s'était passé un an auparavant et que cela me torturait intérieurement. Il s'était relevé aussitôt tout en me repoussant.

— Pourquoi tu penses à ça ? s'était-il emporté. Pourquoi tu reviens encore me faire chier avec ça,

226

Margot ? Tu le fais exprès ou quoi ? On a dit qu'on n'en parlerait plus jamais. On était d'accord là-dessus. Tu avais même juré !

J'avais dégluti douloureusement.

— Pardon, Loïc, excuse-moi. Je n'en parlerai plus.

— C'est le passé, Margot. Aujourd'hui, tu es enceinte et tu vas bientôt accoucher. Le reste, on s'en fout. Tu ne t'en occupes pas.

— Oui, promis.

— Bien.

— Je vais te faire couler un bain, avait-il immédiatement ajouté d'une voix ferme. Ça te fera du bien.

— D'accord.

J'avais reniflé dans ma manche et je m'étais assise sagement sur le lit. Il avait raison. C'était le passé. Tout cela n'avait plus aucune importance dans le présent et ne pouvait en aucun cas avoir une incidence quelconque sur l'avenir. Paisible à nouveau, j'avais dégrafé les boutons de ma robe un à un, ôté mes sous-vêtements et rejoint mon mari dans la salle de bains, ne me doutant pas le moins du monde que j'allais accoucher quelques heures plus tard.

35

J'ai commencé à avoir des contractions très tôt le matin. Quand je m'en suis rendu compte, j'ai immédiatement réveillé Loïc qui m'a aidée à me préparer sans tarder. Ma valise était prête depuis plusieurs jours. Il l'a saisie au passage et nous sommes partis à l'hôpital.

J'étais à la fois apeurée et excitée de ce qui allait suivre. Apeurée par l'accouchement lui-même, la douleur que je ressentirais à ce moment-là et que l'on m'avait tant de fois décrite, ainsi que par les accidents qui pouvaient en découler. Mais excitée à l'idée de cette petite fille qui allait bientôt voir le jour. Ma fille. Mon enfant. Ma belle Marie que j'avais déjà tant de fois imaginée. De quelle couleur seraient ses cheveux, si elle aurait la peau fine et fragile ou au contraire dure et épaisse afin de faire face aux coups du sort, si elle aurait de grands yeux comme son père ou larges et tirés comme les miens, si elle pleurerait souvent ou serait calme et attentive au son de ma voix, si elle me téterait le sein sans problème. Si elle serait belle… Évidemment qu'elle serait belle ! J'étais moi-même une belle femme et

Loïc possédait le charme et la virilité de la gent masculine. Marie serait le plus joli des bébés et moi la plus heureuse des mères.

J'ai perdu les eaux très rapidement. Ensuite, les infirmiers m'ont emmenée pour procéder à l'accouchement. Loïc n'a pas voulu y assister. Je ne tenais pas non plus à ce qu'il soit présent. Il est allé attendre que tout soit fini au-dehors, son paquet de cigarettes à la main. Je me doutais bien que face à sa nervosité, son paquet serait fumé très rapidement. Peu m'importait. Dès que Marie serait née, je lui demanderais d'arrêter. Il était hors de question qu'il enfume notre enfant. J'avais moi-même arrêté sans problème. Pourquoi pas lui ?

Je n'ai eu que trois trous noirs dans ma vie. Le premier à l'âge de dix-neuf ans, après une soirée particulièrement arrosée. Je me suis réveillée le lendemain matin dans les bras d'un homme que je ne connaissais pas, nue, perdue dans un sac de couchage trop grand et les cheveux tout emmêlés.

Le second trou noir, je l'ai eu lors de mon accouchement. Peut-être était-ce dû au choc qui s'ensuivit ? Je ne sais pas. Tout ce dont je suis sûre, c'est que mon cerveau est vide de souvenirs quand il s'agit pour moi de me repasser les moments qui ont précédé la naissance de Marie. Je me rappelle simplement une grande flaque blanche au-dessus de moi, des chuchotements et des taches vert clair qui bougeaient tout autour. Des lumières grises, aussi, qui parfois scintillaient au milieu de ces blouses vertes. Puis des cris, des paroles hurlées m'exhortant à faire quelque chose que visiblement je ne faisais pas assez bien. Ensuite, les sons se sont tus, j'ai fermé les yeux et j'ai inspiré à fond. Je ne sentais plus le bas de mon corps, comme s'il était passé sous un rouleau compresseur et qu'à présent je pesais le poids d'un oiseau. Néanmoins, la réalité a bien vite repris toute sa dimension et là me reviennent les images. Celles que justement par la suite, j'ai cherché à oublier. Celles que justement, par la suite, je n'ai jamais réussi à oublier.

L'obstétricien m'a demandé où était mon mari. Je n'étais pas sûre de savoir alors j'ai répondu qu'il n'allait pas tarder à arriver. Mais pourquoi me demandait-il cela ? Il voulait nous parler à tous les deux. Moi, je voulais qu'on me donne ma fille d'abord, mais il a refusé, prétextant des examens à lui faire passer sur-le-champ. J'ai pris peur. Ce n'était pas normal. La tournure que prenaient les choses n'était pas normale et son regard non plus. Toutefois, j'étais fatiguée et j'avais l'esprit embrouillé. Peut-être m'inquiétais-je pour rien ? Loïc est arrivé peu après en salle de travail. Il avait le teint aussi pâle que sa chemise en lin et les yeux grands ouverts d'inquiétude. Immédiatement, il s'est dirigé vers moi et m'a entourée de ses bras protecteurs.

— Ça va, ma chérie ?

— Oui, ça va, je vais bien.

— Où est le bébé ? Où est Marie ?

— Je ne sais pas. Ils refusent de me la donner.

Loïc s'est aussitôt tourné vers l'obstétricien. Quelque chose n'allait vraiment pas. Il y avait trop de gêne dans ses yeux, trop de malaise dans cette pièce également, trop de regards attristés entre infirmiers et d'allées et venues camouflées. Conscient de la situation, l'homme a croisé les mains devant lui et s'est pincé la lèvre avant de relever la tête vers nous, le visage fermé. C'est à ce moment-là que j'ai compris que ma fille avait un problème. Mon cœur s'est serré comme jamais.

— Monsieur et Madame Kennes, je suis désolé de vous apprendre cela, mais votre fille présente manifestement tous les signes du syndrome de Down. Nous allons confirmer cela par un caryotype qu'on va lui prélever sans attendre, mais ce dernier ne fera vraisemblablement que certifier ce diagnostic.

Tout s'est mis à flotter dans ma tête. Les mots, le médecin, mon mari, le décor, les murs. Tout tournait lentement autour de moi en un mouvement infini qui me berçait les tempes. J'avais envie de m'allonger, de fermer les yeux et d'écouter de la musique classique. Quelque chose de calme, ni gai ni triste, simplement mélodieux et apaisant. C'est Loïc qui m'a sortie de ma torpeur. Je n'oublierai jamais son cri. Celui d'un cavalier sur son cheval qui, dans sa course effrénée vers la victoire, vient de perdre tous ses rêves de grandeur en percutant la barre du dernier obstacle avant la ligne d'arrivée. La chute qui s'ensuit, le cheval qui s'effondre lamentablement sur le flanc tandis que le cavalier a le temps de réaliser que c'est trop tard pour rattraper son geste : la réception se passera forcément mal et tout sera bientôt fini, pour lui, pour sa carrière et pour ses rêves de victoire mais aussi pour son cheval, blessé à mort, le troisième métatarse de l'antérieur gauche brisé net sous la violence du choc. Le hennissement poussé par la bête pour appeler à l'aide, le vétérinaire qui arrive en courant, le cavalier qui pleure, le cheval qui regarde une dernière fois son maître pour lui témoigner son amour puis tourne la tête et la pose lourdement sur le sol avant de mourir. Le cavalier tétanisé qui ne peut plus quitter sa monture du regard sans toutefois comprendre que jamais plus il ne la verra ouvrir les yeux et se redresser fièrement avant de partir au galop. La piqûre qui achève la souffrance, la vie qui s'en va. Le cheval qui meurt. Le cavalier qui perd le goût de la vie. Les spectateurs attristés, le soleil qui se cache parce qu'il a trop honte d'éclairer un si pitoyable moment.

Loïc s'est effondré de tout son long sur le sol. Je l'ai regardé s'écrouler sans bouger ni même ciller des yeux. Sa chute me paraissait irréelle et incompatible avec son caractère de mâle dominant. Ce ne pouvait pas être lui, l'homme qui tombait à côté de moi. Ce ne pouvait pas être mon mari. J'ai ensuite regardé le médecin puis les deux infirmières à ses côtés. Je n'ai rien dit et je n'ai pas pleuré non plus. J'ai simplement baissé les yeux un instant afin de comprendre le sens de ce que l'on venait de m'annoncer. Puis j'ai relevé la tête et j'ai demandé :

— Donnez-moi ma fille, s'il vous plaît. Je voudrais la faire téter.

L'obstétricien m'a regardée un instant, visiblement troublé par ma réaction. Néanmoins, il a demandé à l'une des sages-femmes de m'apporter ma fille.

Loïc était toujours allongé sur le sol tandis qu'un infirmier lui parlait de choses et d'autres que je n'écoutais pas. En fait, une seule pensée occupait mon esprit : je voulais mon enfant. Je voulais tenir ma fille entre mes bras. Le reste m'importait peu.

36

J'ai déboulé dans son bureau comme un taureau dans l'arène.

— Elle était trisomique, c'est pour ça que je l'ai tuée ?

Le docteur Lanar était en train de lire. À ces mots, il a ôté ses lunettes et les a posées sur son bureau. Puis il m'a invitée à m'asseoir.

— C'est pour ça ? À cause de ça ? ai-je repris, une fois assise. Parce que je n'ai pas supporté ? Parce qu'elle était trop affreuse ? Ou il y avait autre chose ? Non, parce que je suis sûre que c'est faux. J'ai été une bonne mère, une bonne mère. Je n'ai pas pu faire de mal à ma fille ! C'est impossible, je le sais. Il y a autre chose.

— Margot, calmez-vous.

— Je suis calme ! Mais ma mère débarque cet après-midi et m'apprend que cet ours en peluche appartenait à Marie, ai-je déclaré en montrant la peluche qui n'avait pas quitté mes mains depuis que ma sœur et ma mère étaient reparties. À Marie qui était ma fille et qui est morte ! Et je suis censée rester calme !

— Non. Mais je préférerais car ça sera plus facile pour discuter.

Je me suis tue.

— OK, je suis calme.

— Bien.

— Mais il faut me dire la vérité.

— Je suis toujours honnête, Margot.

— C'est faux !

— Je vous demande pardon ?

— Pourquoi m'avoir caché tout ça ? Pourquoi ne m'avoir rien dit ? Pourquoi ne m'avoir pas dit que j'avais eu une fille et qu'elle était morte ?

— Parce que ce n'était pas à moi de vous le dire. Vous deviez vous le rappeler par vous-même. Je n'avais pas à intervenir.

— C'est trop tard maintenant, alors dites-moi !

— Non, rien n'a changé, Margot. Votre mémoire vous fait toujours défaut et vous devez faire ce travail par vous-même.

— Alors, aidez-moi à me souvenir, docteur ! Car je ne peux pas vivre avec l'idée que j'ai tué ma fille.

— Margot, vous allez vous détendre, inspirer profondément et ensuite vous et moi allons discuter sereinement. Je vous promets que vous ne quitterez cette pièce qu'une fois totalement calmée et en confiance, d'accord ?

— D'accord.

— Bien.

J'ai inspiré profondément.

— Que vous a dit votre mère ?

— Que j'avais eu une fille, Marie, et qu'elle était morte. Après, je suis retournée dans ma chambre et je me suis concentrée très fort pour que les

souvenirs reviennent. Je me suis rappelé ma grossesse et l'accouchement. Deux ou trois autres trucs
aussi. Mais surtout l'accouchement.

Je l'ai regardé droit dans les yeux.

— J'ai eu un enfant trisomique.

— Oui.

— C'est pour ça que je l'ai tuée ?

— Je ne peux pas répondre à cette question,
Margot. D'abord parce que ce n'est pas mon rôle,
ensuite parce que c'est une connaissance que je ne
possède pas.

— Vous voulez dire que vous n'êtes pas sûr de
savoir si j'ai tué ma fille.

— C'est exact.

— Et si je me souviens que je l'ai tuée, vous
bouclez le dossier et vous m'emmenez en prison ?

— C'est plus compliqué que cela.

— Mais en bref, c'est ça ?

Il a reculé dans son siège.

— Pourquoi croyez-vous l'avoir tuée ?

— Parce que c'est ce que vous avez dit aux infirmiers l'autre soir, ai-je répondu honnêtement. Baptiste
est venu me le dire.

— Ah, celui-là ! S'il pouvait détruire tout ce qu'il
touche, il en serait ravi.

— Ce n'est pas le cas ?

— Non. Au contraire, j'ai dit que je doutais du
compte-rendu de l'enquête selon lequel vous auriez
tué votre fille.

— La justice me croit coupable ?

— Non, sinon vous seriez en prison. En revanche,
les policiers qui ont mené l'enquête le croient. Le
juge, non.

— Et qu'a dit Loïc ?

— Je n'ai pas le droit de vous révéler cette information, Margot, car cela pourrait influencer votre mémoire, a-t-il précisé devant mon air désapprobateur. Toutefois, il est exact que si nous savions sans le moindre doute ce qui s'est passé le soir de la mort de votre fille, vous ne seriez pas dans cet institut.

— Vous attendez donc que je me souvienne afin de me boucler ou de boucler quelqu'un d'autre si jamais ce n'était pas moi ?

— Je ne vais pas vous mentir.

— Mais moi, je pourrais. Je pourrais me souvenir de n'importe quoi alors et accuser même qui je veux, vous ne le sauriez pas.

— Si. Grâce aux progrès des techniques d'imagerie cérébrale, nous sommes aujourd'hui en mesure de suivre les connexions de vos réseaux neuronaux pendant que vous pensez et ainsi de voir quelles zones du cerveau sont activées. Elles sont différentes selon le registre que vous employez, l'état du souvenir et le degré de vérité.

— En bref, un détecteur de mensonges version médicale, ai-je ironisé.

— Version scientifique, je dirais.

— Pourquoi Loïc ne vous a-t-il pas dit ce qui s'était passé ?

— Il l'a fait.

— Alors je ne comprends pas.

Le docteur Lanar a soupiré. Indécis, il m'a jeté un regard de côté avant de se lever, d'ouvrir un des tiroirs de son armoire et d'en sortir un dossier. Mon dossier. De peur, les battements de mon cœur se sont accélérés. Il s'est rassis face à moi, a mis ses lunettes, a ouvert le dossier, a feuilleté quelques pages puis il a ôté ses lunettes à nouveau. J'ai retenu ma respiration.

— Voilà tout ce que je sais, a-t-il commencé : le 12 janvier, Loïc a quitté son bureau aux alentours de dix-huit heures avec un collègue et ils sont allés boire un verre au Vieux Café, à huit kilomètres de votre domicile. Ils se sont quittés vers les vingt heures passées. À vingt-deux heures, Loïc s'est rendu au Harras' Club où il est resté jusqu'à la fermeture, soit à deux heures trente du matin. Là, il déclare être rentré chez vous et vous avoir trouvées dans la salle de bain, vous, Margot, inconsciente, le visage griffé jusqu'au sang, et votre enfant morte. C'est là qu'il a appelé la police. On vous a immédiatement transportée à l'hôpital puis, cinq jours après, ici.

— Et entre vingt heures et vingt-deux heures, où était mon mari ?

— Loïc déclare avoir été prendre du plaisir avec une prostituée…

— C'est impossible ! Mon mari aimait les hommes !

— Il aurait pu mentir à la police par honte d'avouer son homosexualité et cela justifierait le fait que l'on n'ait pas retrouvé de trace de son rendez-vous puisque les policiers recherchaient une femme.

— Non, Loïc ne serait jamais allé voir un mec qui fait le tapin ! Il avait trop de fierté pour ça, et trop peur de choper quelque chose aussi. C'est pour ça qu'il allait dans ses boîtes échangistes.

— Je vous crois, Margot.

J'ai cherché une explication au mensonge de mon mari. Je n'en voyais qu'une.

— À quelle heure ma fille est-elle morte ? Je sais qu'ils peuvent savoir ça avec leurs produits et leurs diagnostics scientifiques.

— Aux alentours de vingt et une heures.

— Comme par hasard, quand mon mari était chez son soi-disant rendez-vous ! Et la police n'a pas trouvé ça suspect ?

— Si, bien sûr, mais on n'accuse pas un homme de meurtre à cause d'un soupçon, même fondé.

J'ai explosé :

— Je veux voir mon mari, docteur. Je veux lui parler. Je veux qu'il me dise ce qui s'est passé.

Le docteur Lanar a baissé la tête tristement.

— Margot…

— S'il vous plaît, je sais qu'il n'est jamais venu me voir, mais demandez-lui de passer. Mentez-lui, dites-lui que je vais mourir ou j'en sais rien, que j'ai sombré dans le coma mais appelez-le.

— Margot ?

— S'il vous plaît, docteur ! l'ai-je supplié.

— Margot ?

Soudain, j'ai réalisé que son regard s'était assombri. Il voulait me dire quelque chose qui visiblement allait me faire de la peine.

— Quoi ? Qu'est-ce qu'il y a ?

Il a pris une grande inspiration, j'ai frémi.

— Loïc est mort trois jours après votre transfert ici, Margot. Il s'est tué dans un accident de voiture.

Mon cœur a cessé de battre. Une artère a rompu et la jointure a cassé net, déversant tout le sang qu'elle contenait à travers mes viscères.

Une seconde a passé, le temps pour moi de réaliser. Aussitôt, je me suis levée d'un bond et j'ai couru jusqu'à la salle de bains attenant au cabinet du psychologue, la main écrasée contre ma bouche qui se remplissait de liquide.

Il était mort.

Sans attendre, j'ai relevé la cuvette des toilettes et j'ai passé la tête dans le trou afin de vomir tout ce qui remontait de mon estomac.

Mort.

Vidée, je me suis relevée et je me suis rincé abondamment la bouche au robinet d'eau.

Mon mari.

Le docteur Lanar se tenait derrière moi, une serviette propre tendue dans ma direction. Je l'ai attrapée, et je me suis essuyée avec, tout en tremblant.

Loïc.

Il m'a attrapée par les épaules et m'a conduite jusqu'à son fauteuil où il m'a fait asseoir. Là, il m'a tendu un verre d'eau et m'a ordonné de le boire doucement. Je me suis exécutée.

Mort...

Ensuite, il s'est assis sur l'accoudoir à côté de moi et m'a raconté.

Mort.

— C'était un accident volontaire. Son sang ne contenait pas la moindre trace d'alcool et il était seul sur la route. Il a percuté un arbre de plein fouet, en ligne droite, et il n'a même pas cherché à freiner. Il s'est donné la mort, Margot.

Je n'ai pas répondu. J'avais encore le goût du vomi dans la bouche, également l'odeur de la peau de

241

mon mari dans les narines. Les images de son corps dans les yeux, le contact de ses cheveux dans mes mains, son visage…

— Je n'ai vu Loïc qu'une seule fois, a-t-il continué, le jour de votre arrivée. C'était lui qui vous accompagnait. Votre mère était dans un tel état de choc que son médecin l'avait mise sous tranquillisants. Loïc vous tenait comme si vous étiez un être de cristal, un trésor. Son trésor. Il vous aimait, cela se voyait. Quand je lui ai dit que les infirmiers allaient s'occuper de vous, il a refusé de vous lâcher et, au contraire, il a insisté pour vous accompagner dans votre chambre et pour défaire vos bagages. Il est resté plus d'une heure avec vous puis il est redescendu, m'a salué et est reparti.

— Je ne me souviens pas, docteur.

— C'est normal. À l'époque, vous étiez sous sédatifs.

J'ai hoché la tête, vaguement. Mon mari était mort.

— Je voudrais être seule, docteur, s'il vous plaît.

— Je comprends, Margot. Revenez me voir demain matin. À huit heures.

— Oui.

— Je vais demander à Solange de vous raccompagner à votre chambre.

— Non, ça va aller.

— Vous êtes sûre ?

— Oui.

— Très bien. À demain alors, Margot.

— À demain, docteur.

Je suis partie sans me retourner.

37

Je me suis rendu compte en allumant ma cigarette que je n'avais pas fumé depuis plusieurs jours. L'envie était partie comme elle était venue : soudainement. Toutefois, ce soir-là, en retournant dans ma chambre et en apercevant le paquet posé sur ma table de chevet, je n'ai eu envie que de ça : fumer. Fumer encore, fumer toujours, fumer sans m'arrêter. Allumer une cigarette à chaque fois que celle que j'avais à la main allait s'éteindre. Encombrer mes poumons d'une fumée noirâtre et repoussante, salir mon haleine d'une odeur de cendrier froid, rendre mon teint gris comme celui d'un cadavre. Je suis sortie sur la terrasse de la cafétéria regarder les étoiles. De ma chambre, l'angle était inconfortable et les barreaux de la fenêtre n'arrangeaient rien à l'affaire. J'ai fumé mon paquet tranquillement, alignant les mégots usagés les uns à côté des autres devant moi. Ça faisait comme une petite armée de soldats grillés ou de chipolatas orange. C'était beau.

J'avais eu une fille. Marie. Une fille trisomique. Une fille qui avait grandi dans mon ventre pendant neuf mois et dont j'avais accouché. Pourtant, je ne ressentais rien. Rien. Sinon la douleur de me dire que j'étais peut-être un assassin. Car comment éprouver de la peine pour quelqu'un dont je ne me souvenais pas ? Comme si je ne l'avais pas connue. Comme si on me racontait l'histoire d'une autre mère qui avait perdu sa fille et que j'écoutais en me disant « la pauvre, c'est triste ». Ce n'était pas mon histoire. Ce n'était pas mon enfant. J'avais beau chercher à éprouver de la peine, je n'y arrivais pas. La femme qui avait vomi dans le cabinet du psychologue n'était plus moi. Moi, j'étais la personne assise tranquillement sur les marches du perron qui fumait tout en contemplant les étoiles.

J'ai relevé mon sous-pull et j'ai contemplé mon ventre, mon nombril ovale et rentré qui se dessinait au milieu de ce dernier. Ce ventre-là avait-il vraiment connu une grossesse ? Y avait-il vraiment eu un bébé à l'intérieur ? Pas la moindre cicatrice ni le moindre bourrelet. Pas la moindre trace d'une gestation. Lentement, j'ai fait courir ma main le long de ma peau et j'ai descendu mes doigts jusqu'à mon vagin. La sensation m'a fait frissonner. Y avait-il vraiment eu un enfant qui était sorti par là ? Mon corps se souvenait-il ? Je m'étais souvent masturbée pendant mes journées à l'hôpital, or je n'avais pas constaté le moindre changement dans mon corps par rapport à avant. Ou alors je ne m'en souvenais pas. Trisomique. Elle était trisomique. Et c'était forcément ma faute. Du moins Loïc avait-il dû le croire. J'avais péché et Dieu m'avait punie, voilà ce qu'il avait évidemment dû penser. Quelle idiotie ! L'avais-je cru aussi ? Était-

244

ce pour cela que j'étais devenue folle ? Étais-je si perdue à cette époque ?

Il y avait une chapelle dans l'hôpital. Un instant, j'ai songé à m'y rendre afin de pleurer mon mari et ma fille comme il se devait. En fin de compte, je n'y suis pas allée. Comment pleurer une fille dont on ne se souvient pas et un homme qui a probablement tué son enfant ? Mon cœur s'était vidé de tout sentiment à l'égard de Loïc. Il n'y avait plus rien qu'une émotion sincère pour le héros du film qu'on vient de regarder et dont on regrette la mort à la fin. Rien de plus. Les sentiments s'en étaient allés.

Je suis retournée dans ma chambre, je me suis brossé les dents, j'ai fermé les rideaux, je me suis déshabillée et je me suis couchée.

38

Les ombres s'étiraient devant moi, le bruit d'une berceuse, le sourire de Marie, ses yeux noirs en amande, le temps au ralenti. Je me suis retournée dans mon lit et j'ai agrippé le drap de toutes mes forces afin de m'y rouler en boule. J'avais des sueurs froides, des spasmes qui me secouaient le corps violemment. J'ai regardé l'heure. Minuit douze. Dans moins de huit heures, je serai fixée. Le docteur Lanar m'aidera à mettre de l'ordre dans mes souvenirs. J'ai fermé les yeux. Le sommeil est venu, lourd, dense, inquiétant.

Il était soûl. Je m'en suis rendu compte dès qu'il est entré dans la salle de bains alors que je langeais Marie. Son haleine empestait la vodka tandis que ses gestes étaient larges et maladroits. Cela faisait plusieurs soirs de suite qu'il rentrait ivre à la maison. Depuis la naissance de Marie, en fait. Depuis qu'il avait posé les yeux sur elle.

J'ai cessé la berceuse que je fredonnais à ma fille

pour ordonner à Loïc d'aller dessoûler ailleurs. Je ne voulais pas de lui dans cet état auprès de mon enfant.

— Quel enfant ? m'a-t-il demandé d'une voix railleuse. Je ne vois pas d'enfant. Je ne vois qu'un horrible monstre travesti en poupon par une putain qui joue à la maman.

Loïc était devenu vulgaire depuis l'accouchement et sa vulgarité allait en empirant.

— Va-t-en, Loïc ! Si c'est pour dire des horreurs pareilles, je préfère que tu t'en ailles.

— C'est ma maison, chérie, a-t-il ironisé. T'aurais pas oublié par hasard ?

Il a posé une main sur ma joue qu'il a caressée froidement tout en me postillonnant au visage.

— C'est ma maison. Tout est à mon nom, ici. Même ton cul !

— Tu ne sais plus ce que tu dis ! Va-t-en ! Va dessoûler chez tes potes !

— Ton cul, a-t-il repris. Ton cul que t'es allée tremper ailleurs parce que Madame a eu envie de jouer les saint-bernard. Et voilà, le résultat ! a-t-il conclu en me montrant Marie.

Je suis sortie de mes gonds.

— Je t'interdis de dire ça, tu m'entends ! T'as pas le droit ! Marie est ta fille, que tu le veuilles ou non.

— Cette horreur n'est pas ma fille ! Elle n'est pas à moi, a-t-il répété en m'attrapant les poignets et en me plaquant violemment contre le mur. T'as joué à la pute et t'as obtenu que ce que tu méritais. Une mongolienne ! Une ignoble petite mongolienne !

J'ai dégagé ma main droite de son étreinte et je

l'ai giflé de toute la force dont j'étais capable. Incrédule, il m'a regardée un instant avant de me gifler en retour. La violence du choc m'a projetée contre le rebord de la baignoire. Je me suis écroulée brutalement sur le sol. Mon crâne saignait.

Aussitôt, Loïc s'est jeté sur moi, m'a relevée et m'a saisie à la gorge.

— Non, mais tu crois quoi, là ? Que c'est toi la plus forte ? Tu vas continuer longtemps à me faire chier avec tes idées de domination ? T'as pas encore compris que tu décidais de rien ?

Marie s'est mise à pleurer.

— Ta gueule ! a hurlé Loïc.

J'ai esquissé un geste pour attraper ma fille. Il a empoigné mon bras et l'a coincé dans mon dos. J'ai crié de douleur.

— Tu m'appartiens, Margot, tu m'entends ? Tu m'appartiens. Car tu es ma femme ! Pourquoi t'es allée voir ailleurs ? Pourquoi ?

Son regard était devenu fou. J'ai voulu lui parler, mais il m'en a empêchée. Il ne maîtrisait plus sa colère, il ne comprenait plus ce qu'il faisait, il ne m'écoutait plus. Sa rage l'aveuglait. Quoi qu'il fasse, il ne s'en rendrait pas compte. Je venais de le comprendre et il fallait que je sauve ma fille.

Marie pleurait toujours et de plus en plus fort. J'ai prié pour qu'elle se taise, qu'il oublie son existence. Au contraire, il lui a hurlé de se taire une nouvelle fois, ce qui n'a fait qu'augmenter ses pleurs.

— Je t'en supplie, Loïc, ai-je murmuré, calme-toi, va dans le salon. Je te rejoins tout de suite, je te le promets. Je m'occuperai de toi, je ferai tout ce que tu veux. Je t'aime.

— Menteuse ! Menteuse !

— S'il te plaît, Loïc.

— T'as foutu ma vie en l'air. Tout ce que je voulais ! Qu'est-ce que je vais faire maintenant ? Qu'est-ce que je vais faire ?

— On trouvera une solution, je te le promets.

— Menteuse !

Il m'a giflée une nouvelle fois et je me suis affalée sur le carrelage, sonnée. Marie pleurait toujours, mais ses pleurs sont devenus lointains. Puis, peu à peu, ils ont cessé. Jusqu'à ce que je ne l'entende plus du tout. J'ai cru que Loïc était parti en l'emmenant, mais deux mains m'ont alors déshabillée. Ses mains. Il me déshabillait.

Puis il m'a pénétrée. Mon œil gauche était collé à cause du sang qui avait coulé dessus et la gifle que j'avais reçue avait fait enfler mon œil droit. J'ai essayé d'ouvrir les yeux malgré tout, mais je ne voyais rien. Il fallait pourtant que je me dégage de son emprise. À tâtons, j'ai cherché quelque chose à quoi m'accrocher. Loïc m'a alors attrapée fermement et m'a maintenue plaquée au sol.

Je ne sentais plus la douleur, je ne sentais plus non plus la froideur du carrelage, ni la dureté de la baignoire que ma tête heurtait à chaque fois qu'il pénétrait plus profondément en moi. Je ne pensais plus qu'à ma fille. Pourquoi ne pleurait-elle plus ? S'était-elle endormie ? L'avait-il transportée dans sa chambre ? Couchée dans son berceau ? Ce devait être cela. Chancelante, j'ai murmuré « Marie » à l'oreille de Loïc, mais il m'a enfoncé un tissu dans la bouche pour me faire taire. Je me suis évanouie.

*
**

— Tenez-là plus fermement, sinon elle va tomber.

— On fait ce qu'on peut, docteur.

— Eh bien, faites mieux !

— Peut-être vaudrait-il mieux lui donner un calmant ?

— Non, a ordonné le docteur Lanar. Maintenant poussez-vous et laissez-moi faire.

Les voix se sont tues et deux mains m'ont secouée fortement.

— Margot, réveillez-vous. Réveillez-vous !

Quelque chose luttait en moi, une douleur qui me broyait la poitrine et m'emplissait la bouche d'un liquide nauséabond. Soudain, j'ai ouvert grand les yeux et je me suis penchée précipitamment sur le côté du lit, vomissant amèrement nourriture et bile mélangées dans ma gorge.

Le docteur Lanar m'a attrapé les cheveux d'une main et les a maintenus tout en m'empêchant de tomber de l'autre main. J'ai vomi plusieurs fois de suite, jusqu'à ce que la douleur m'arrache un cri strident.

— Marie !

— Ça va aller, Margot, ça va aller, m'a-t-il murmuré.

— Marie… ai-je hurlé à nouveau d'une voix déchirée.

Il m'a prise dans ses bras. J'ai enfoui ma tête dans son cou.

251

— Marie…

Je tremblais comme jamais, le corps brûlant et suant abondamment tandis que des spasmes glacés me déchiraient le corps comme des lames de rasoir.

— Il l'a tuée, ai-je gémi.

— Je sais, Margot, je sais.

— Il l'a tuée.

— Je sais.

Je m'étais réveillée seule sur le carrelage de la salle de bains, les vêtements en lambeaux et les mains recouvertes de sang. Immédiatement, je m'étais relevée afin de m'occuper de ma fille. Mon état m'importait peu. Seul son silence m'inquiétait. Elle était allongée sur la table à langer, dans la même position que celle où je l'avais laissée. Elle ne bougeait plus et ses yeux étaient clos. Je n'ai pas eu besoin de la toucher pour comprendre qu'elle était morte ni de me demander comment il l'avait tuée. Sa serviette de bain gisant à côté d'elle était placée de telle sorte que cela prouvait l'évidence. J'imaginais le visage de ma fille écrasé contre elle. Sa lutte pour respirer.

Mes mains ont trouvé mon visage et l'ont griffé de toutes leurs forces. Peut-être ai-je même essayé de me crever les yeux, je ne sais plus. Marie était morte. Je n'avais pas su la protéger. Je n'avais pas su la sauver non plus. Je ne voulais plus vivre.

Le docteur Lanar me retenait toujours contre lui pour m'empêcher de défaillir. J'ai hurlé :

— C'était à moi de la protéger ! C'était à moi de la défendre !

— Vous ne pouviez pas, Margot. Ce n'est pas votre faute.

— J'aurais dû la protéger. Parce qu'elle n'avait rien fait. Elle était si petite.

— C'est fini, maintenant.

— Si fragile.

— C'est fini.

Plus tard dans la journée, les policiers sont venus. Ils se sont entretenus longuement avec le docteur Lanar, puis avec moi en sa présence. J'avais besoin de sa force pour être capable de raconter ce qui s'était passé. Ils sont repartis en fin de journée en me souhaitant un bon rétablissement.

Un bon rétablissement. J'étais donc innocentée et libre. Mais libre de quoi puisque j'avais retrouvé la mémoire ? Libre d'oublier ?

Je n'avais pas faim. Tandis que les résidents dînaient dans la grande salle, je suis allée faire un tour dans le parc. L'air annonçait la fin de l'été. J'ai cueilli une marguerite qui poussait au pied d'un chêne et je l'ai portée à mes narines. Ensuite, je suis allée au beau milieu de la clairière, là où le ciel apparaissait à découvert plus brillant que jamais, et j'ai lancé la fleur dans le vent.

— Sois sage, mon bébé. Maman t'aime.

Je suis restée là un instant, puis je suis rentrée au centre.

39

Il faisait beau. Un grand ciel bleu orné de nuages blancs inondait l'horizon au gré d'une brise fraîche de fin d'été.

Ma mère se tenait sur le pas de la porte, les mains jointes nerveusement devant elle. Elle avait mis la jolie jupe bleue que je lui avais offerte plusieurs années auparavant ainsi que le collier de perles de son mariage. Le sac à main porté haut sur l'épaule et les cheveux coiffés en un beau chignon, elle était de loin la femme la plus élégante de tout l'hôpital. Elle était ma mère et je retournais vivre avec elle.

Lorcha soupira derrière moi.

— Elle est trop lourde ta valise, Margot. T'as mis quoi dedans ?

— J'ai dévalisé les placards de la cuisine et j'ai piqué tous les pots de Nutella que j'ai trouvés.

— Cool !

Solange est apparue dans l'encadrement de la porte.

— Alors, c'est le grand départ ? s'est-elle exclamée.

— Oui. Je retourne chez moi.

— Ça ira ?

— Oui, ça ira. Je vais retrouver du travail. Même si je n'ai pas d'inquiétude à me faire côté finances, je ne veux plus rester oisive comme avant. Je veux être utile à quelque chose.

— Tu pourrais venir animer un atelier ici, tu sais, si tu le voulais. En tant que bénévole.

— J'y ai pensé. Et c'est vrai que j'aimerais beaucoup. Mais d'abord, j'ai du tri à faire dans ma vie. Avec moi-même, ai-je précisé tout en rougissant légèrement.

— Reviens quand tu seras prête, Margot. Tu seras toujours la bienvenue ici.

— Merci.

Une voix nous a interpellées.

— Pardon mesdames, mais pouvez-vous dégager la porte d'entrée, s'il vous plaît ?

On s'est prestement exécutées. Un des infirmiers du centre arrivait à notre hauteur. Il tenait par le bras une dame assez âgée qui visiblement ne comprenait pas trop ce qui lui arrivait.

— Qui est-ce ? ai-je demandé à Solange avec curiosité.

— Madame Destou. Sa fille nous a appelés hier pour nous demander si nous avions de la place pour sa mère car elle ne peut plus vivre seule. Elle est atteinte de la maladie d'Alzheimer.

— Elle ne se souvient de rien ?

— Elle se rappelle encore son passé, mais elle oublie les événements récents au fur et à mesure et, malheureusement, ça ne va faire qu'empirer. Donc bientôt, non, elle ne se souviendra plus de rien.

J'ai échangé un regard avec ma mère. Puis j'ai demandé à Solange :

— Où est-ce qu'elle va dormir ?

— Au troisième, il reste une chambre de libre.

— Solange ? ai-je alors demandé sérieusement.

— Oui ?

— Est-ce qu'elle peut prendre ma chambre ? J'aimerais beaucoup que ce soit elle qui veille sur ma frise.

L'infirmière en chef m'a regardée chaleureusement. Ensuite, elle a hélé l'infirmier qui s'occupait de la vieille femme.

— Thierry ?

— Oui ?

— Laisse Madame Destou au bras de Margot, elle va s'occuper d'elle et lui montrer sa chambre.

— Je peux venir, moi aussi ? a demandé Lorcha.

— Bien sûr.

— Je vous attends à la cafétéria les filles, a déclaré ma mère.

— D'accord.

J'ai pris Madame Destou par le bras et je l'ai aidée à monter les marches.

— Vous aimez la peinture ?

— Oui beaucoup, m'a-t-elle affirmé. D'ailleurs, vous savez, je posais nue pour des peintres quand j'étais jeune.

— Il faudra que vous me racontiez.

— J'ai commencé à poser en 1947, après la Seconde Guerre mondiale. Je me souviens encore de la robe que je portais. C'était ma grand-mère qui me l'avait confectionnée pour le jour de mes vingt et un ans. Une magnifique robe blanche avec des manches en dentelle et des fleurs brodées sur les volants. La plus belle robe que j'aie jamais eue.

Soudain, elle s'est tue et m'a jeté un coup d'œil suspicieux.

— Vous portez des robes, mademoiselle ? m'a-t-elle demandé d'une voix inquiète. Car les jeunes gens ne savent plus s'habiller de nos jours ! C'est d'un triste ! Ils sont tous vêtus pareils, filles et garçons, avec un pantalon et un tricot de peau sans rien dessus, du coup on ne sait plus qui est qui ! C'est important pourtant de ne pas oublier qui l'on est.

J'ai acquiescé. J'ai vraiment acquiescé.

Achevé d'imprimer par GGP Media GmbH, Pößneck en juilett 2011 pour le compte de France Loisirs, Paris
N° d'éditeur: 64643   Dépôt légal : août 2011   Imprimé en Allemagne